Peter Handke, 1942 in Griffen (Kärnten) geboren, lebt heute in Österreich. Prosa: *Die Hornissen; Der Hausierer; Begrüßung des Aufsichtsrats; Die Angst des Tormanns beim Elfmeter; Chronik der laufenden Ereignisse* (Filmbuch); *Der kurze Brief zum langen Abschied; Wunschloses Unglück; Falsche Bewegung* (Filmbuch); *Die Stunde der wahren Empfindung; Die linkshändige Frau; Das Gewicht der Welt; Langsame Heimkehr.* Stücke: *Publikumsbeschimpfung und andere Sprechstücke; Kaspar; Das Mündel will Vormund sein; Quodlibet; Wind und Meer* (Hörspiele); *Der Ritt über den Bodensee; Die Unvernünftigen sterben aus.* Gedichte: *Die Innenwelt der Außenwelt der Innenwelt.* Reader: *Prosa, Gedichte, Theaterstücke, Hörspiel, Aufsätze; Ich bin ein Bewohner des Elfenbeinturms,* Aufsätze; *Als das Wünschen noch geholfen hat.*

Die Theaterstücke Peter Handkes gehen aus von der Erfahrung alltäglicher Sprach- und Handlungsabläufe. Das stumme Spiel *Das Mündel will Vormund sein* zeigt genau festgelegte Bewegungen als Bewegungen, in denen sich die Abrichtung eines Menschen vollzieht. In *Quodlibet* unterhalten sich »Figuren des Welt-Theaters« nach Belieben. Weil der Bedeutungskontext der Gesprächsfetzen ausgespart ist, wird das Publikum auf sein eigenes Wahrnehmungsvermögen verwiesen. *Der Ritt über den Bodensee,* Sprechstück und Pantomime in eins, setzt aus Dialogfragmenten und Kurzszenen ein Bild bekannter Kommunikationsformen zusammen. Es ist dies ein Lehrstück mit Lustspielcharakter.

Peter Handke
Stücke 2

Suhrkamp

Umschlagfoto von Abisag Tüllmann
aus einer Inszenierung von
Der Ritt über den Bodensee

suhrkamp taschenbuch 101
Vierte Auflage, 31.–36. Tausend 1980
© dieser Ausgabe Suhrkamp Verlag
Frankfurt am Main 1973
Das Mündel will Vormund sein
© 1969 by Suhrkamp Verlag
Quodlibet © 1969 by Suhrkamp Verlag,
Aufführungsrechte Verlag der Autoren
Der Ritt über den Bodensee
© 1970 by Suhrkamp Verlag,
Aufführungsrechte Verlag der Autoren
Suhrkamp Taschenbuch Verlag
Alle Rechte vorbehalten, insbesondere
das des öffentlichen Vortrags,
der Übertragung durch Rundfunk und
Fernsehen sowie der Übersetzung,
auch einzelner Teile.
Druck: Nomos Verlagsgesellschaft, Baden-Baden.
Printed in Germany
Umschlag nach Entwürfen von
Willy Fleckhaus und Rolf Staudt

Inhalt

Das Mündel will Vormund sein

Was, das Mündel will Vormund sein?
William Shakespeare, Der Sturm

Der Vorhang geht auf.

Es ist ein sonniger Tag.

Im Hintergrund der Bühne sehen wir, als Hintergrund der Bühne, die Vorderansicht eines Bauernhauses.

Die Bühne ist nicht tief.

Die linke Seitenbegrenzung der Bühne, von uns aus gesehen, zeigt die Ansicht eines Maisfeldes.

Die rechte Seitenbegrenzung der Bühne, von uns aus gesehen, wird durch die Ansicht eines großen Rübenfelds gebildet.

Über beiden Feldern kreisen Vögel.

Vor dem Bild des Bauernhauses sehen wir einen eigentümlichen länglichen Gegenstand stehen, von dem wir uns fragen, was er darstellen mag.

Ein Gummimantel, schwarz, bedeckt den Gegenstand einerseits ziemlich, andrerseits hat er, obwohl er den Gegenstand bedeckt, sich nicht in allem der Form dieses Gegenstands angepaßt, so daß wir nicht erkennen können, was der Gegenstand auf der Bühne darstellt.

Rechts von dem Bild der Haustür, von uns aus gesehen, erblicken wir, vor einem Fenster, einen schief stehenden Holzpflock, in welchem ein Beil steckt, oder vielmehr: auf welchem ein großes Holzscheit liegt, in welchem ein Beil steckt. Rund um den Hackklotz erblicken wir, auf dem Boden der Bühne verstreut, viele schon zerkleinerte Holzscheite und Holzsplitter.

Auf dem Hackklotz, neben dem zu großen Holzscheit, in dem die Axt steckt, erblicken wir eine

Katze: wahrscheinlich wird sie beim Aufgehen des Vorhangs den Kopf heben und dann tun, was sie tut, so daß wir erkennen: sie stellt das dar, was sie tut.

Neben dem Hackklotz, auf einem Schemel, haben wir schon auf den ersten Blick jemanden sitzen sehen, eine Figur.

Jetzt, nachdem wir die anderen Einzelheiten ringsherum kurz aufgenommen haben, wenden wir uns wieder dieser Gestalt zu, die vor dem Bild des Hauses im Sonnenschein auf einem Schemel sitzt.

Er – es handelt sich um eine männliche Person – ist bekleidet mit einer ländlichen Arbeitsmontur, das heißt, über die Hose ist noch eine blaue Leinenhose gezogen; die Schuhe sind klobig; die Person hat nur ein Unterhemd an.

Tätowierungen auf den Armen sind nicht zu sehen.

Die Person trägt keine Kopfbedeckung.

Die Sonne scheint.

Es muß wohl kaum mehr erwähnt werden, daß die Person, die vor dem Bild des Hauses auf einem Schemel hockt, eine Maske trägt. Diese bedeckt den oberen Teil des Gesichts und ist starr. Sie stellt ein Gesicht dar, das wiederum ziemlich eitel Wonne darstellt, freilich in Grenzen.

Die Figur auf der Bühne ist jung – also erkennen wir, daß diese Figur auf der Bühne wohl das Mündel darstellt.

Die Beine hat das Mündel von sich gestreckt.

Wir sehen, daß die Schuhsohlen mit breitköpfigen Nägeln beschlagen sind.

Die linke Hand hat das Mündel in der Kniekehle des rechten Beins, das rechte Bein ist im Gegensatz zum linken ein wenig angezogen.

Wir sehen, daß das Mündel mit dem Rücken am Prospekt der Hauswand lehnt.

In der rechten Hand hält die Figur einen ziemlich großen gelben Apfel, den sie, nachdem der Vorhang nun aufgegangen und offen ist, zum Mund führt.

Das Mündel beißt in den Apfel, so, als ob niemand zuschauen würde.

Der Apfel kracht nicht besonders, so, als ob niemand zuhören würde.

Über dem ganzen Bild liegt etwas, was man, mit einem Bild, als tiefer Frieden bezeichnen könnte.

Das Mündel ißt den Apfel, so, als ob niemand zuschaut.

(Wenn wir zuschauen, werden Äpfel oft sehr affektiert gegessen.)

Die Figur vertilgt also den Apfel, nicht besonders langsam, nicht besonders schnell.

Die Katze tut, was sie tut. Wenn sie von der Bühne geht, hält sie niemand zurück.

Wenn wir zuerst zuviel auf die Figur geschaut haben, haben wir jetzt Zeit, die übrigen Gegenstände und Flächen eingehend zu mustern. (Siehe oben)

Ist am Essen des Mündels zu erkennen, daß dieses bevormundet wird? – Eigentlich nicht.

Vor lauter Schauen haben wir fast übersehen, daß die Figur den Apfel schon aufgegessen hat. Es gab beim Essen keine besonderen Vorkommnisse, die Figur hat keine besondere Eigenart Äpfel zu essen, vielleicht sind ein paar Kerne auf den Boden gefallen; Hühner sind nicht zu sehen.

Jetzt kommt der zweite Apfel dran.

Zu diesem Zweck steckt das Mündel auch das rechte Bein ganz aus und greift mit der linken Hand unter die Arbeitshose in die rechte Tasche der eigentlichen Hose. Sichtlich kommt es nicht zurecht.

Auch mit der rechten Hand kommt es nicht ganz in die Tasche, weil es dazu den Oberkörper zurücklehnen müßte, aber zu nahe an der Hauswand sitzt, als daß es sich weit genug zurücklehnen könnte.

Es rutscht mit dem Schemel vor und legt sich gegen das Bild der Hauswand zurück: nein, Ober- und Unterkörper sind für die Hand noch immer zu sehr geknickt.

Die Pause ist merkbar.

Das Mündel steht auf und greift sich jetzt im Stehen leicht den zweiten Apfel aus der Hose unter der Arbeitshose.

Noch während es sich setzt, beißt es in den Apfel.

Der Schemel wird mit dem Gesäß wieder näher an die Hauswand gerückt, eine ähnliche, wenn auch nicht gleiche Haltung wie die Anfangshaltung wird eingenommen, die Katze bewegt sich oder auch nicht, das Mündel ißt.

Aus dem Prospekt des Maisfelds, von uns aus gesehen links, tritt eine zweite Gestalt, dem ganzen Aussehen nach ein Vormund: Gummistiefel, bis zum Schaft mit Lehm bedeckt, graue Arbeitshose, aufgekrempelte Ärmel eines karierten Hemds (weißblau), auf den Armen Tätowierungen, offener Kragen, eine

Maske übers halbe Gesicht, ein Hut mit einer Fasanenfeder, am Hut ein Abzeichen, ein Zimmermannsbleistift hinter dem Ohr, vor dem Bauch ein recht großer Kürbis.

Wir sehen jetzt, daß der Prospekt des Maisfeldes aus einer Fläche von kleinen beweglichen Teilchen besteht, die, nachdem der Vormund auf die Bühne getreten ist, wieder die alten Stellungen einnehmen – das Maisfeld beruhigt sich wieder, die Vögel kreisen wieder auf der Stelle.

Der Vormund sieht das Mündel.

Der Vormund tritt näher und sieht das Mündel an.

Das Mündel ißt in Ruhe einen Apfel.

Das Ansehen des Mündels durch den Vormund zieht sich hin.

Allmählich, wie wir sehen, beginnt sich auch das Essen des Apfels hinzuziehen.

Je länger der Vormund schaut, desto langsamer wird das Essen des Apfels.

Als der Vormund am längsten geschaut hat, hört das Essen des Apfels auf.

Der Kürbis, den der Vormund vor dem Bauch hält, ist, wie wir sehen, ein wirklicher Kürbis.

Aber diesen Sachverhalt nehmen wir kaum mehr wahr, denn als der Vormund am längsten geschaut hat und zugleich das Mündel aufgehört hat, den Apfel zu essen und dieser dem Mündel nur noch seltsam angebissen in der Hand liegt, wird die Bühne auch schon langsam wieder finster. Die Szene ist zuende.

Im Finstern beginnt jetzt eine neue Szene, wir hören es. Was wir hören, ist ein lautes Atmen, das von einem Tonband über Lautsprecher kommt. Das Atmen fängt, nach einer Stille im Finstern, gleich ziemlich laut an und, indem es fortgeführt wird, wird es weder gleichmäßig lauter noch leiser, sondern es schwankt immerzu in seiner Lautstärke: derart, daß, wenn wir meinen, jetzt würde es gerade immer lauter werden, bis zum Lautestmöglichen, es plötzlich wieder ziemlich leise wird, und, wenn wir glauben, es könnte jetzt und jetzt verstummen, es plötzlich wieder möglichst laut wird, und zwar weitaus lauter als ein natürliches Atmen. Es ist »wie« das sehr verstärkte Atmen eines alten Mannes, aber auch nicht ganz so; andrerseits ist es »wie« das sehr verstärkte Atmen eines losgelassenen wilden Tieres, aber auch nicht ganz so; es ist »gierig«, »angstvoll«, »grauenhaft«, aber eigentlich auch wieder nicht; es scheint uns manchmal das »Röcheln eines Sterbenden« zu bedeuten, aber eigentlich auch wieder nicht, weil es dafür zu sehr den Ort immerfort zu ändern scheint. In dem italienischen Agentenfilm »Der Chef schickt seinen besten Mann« (mit Stewart Granger und Peter van Eyck, Regie: Sergio Sollima) gibt es eine Stelle, in der eine fremde Wohnung, in welche ein Mann eingedrungen ist und dort seinen Freund tot aufgefunden hat, plötzlich finster wird und darauf nach einigen Augenblicken der Stille plötzlich das erwähnte Atmen überall im finstern Raum hörbar wird, so lange und so ausführlich, bis der Eindringling in seiner Verzweiflung zu schießen anfängt und hinter dem

Sessel aufspringt: darauf wird er erschossen, und das Licht wird angeknipst – ein junger Mann steht über ihm, ein kleines Tonbandgerät in der Hand, das er jetzt abschaltet, worauf das »gräßliche« Atmen aufhört: dieses Atmen im Finstern ist auch hier gemeint, freilich ohne die Folgen – so plötzlich, wie es eingesetzt hat, hört es nach einiger Zeit wieder auf.

Wir sitzen ziemlich im Finstern; auf der Bühne, nach den Geräuschen zu schließen, geht ein Umbau vor sich.

Schon als es langsam finster geworden ist, haben wir Musik gehört, eine Abfolge von Akkorden, die sehr vereinzelt gesetzt werden, mit verschiedenlangen Pausen. Manchmal werden einige Akkorde miteinander verbunden.

Es handelt sich um das Instrumentalstück »Colors for Susan« von der LP »I Feel Like I'm Fixin' To Die« von Country Joe and The Fish; Vanguard Records VSD 79266. Das Stück dauert nur fünf Minuten und 57 Sekunden, so daß es im Verlauf der Vorgänge wiederholt werden wird; nur der Schluß der Nummer wird für den Schluß der Vorgänge aufgespart.

Auf der Bühne sind Vormund und Mündel gerade dabei, die Bühne umzustellen: was vorher innen war, wird jetzt nach außen gestülpt.

Wenn die Bühne eine Drehbühne ist, ging das so vor sich, daß die Bühne, indem sie sich um 180 Grad drehte, nun das Innere des Hauses zum Vorschein brachte.

Sollte die Bühne keine Drehbühne sein, werden Mündel und Vormund die Prospekte des Maisfelds, des Rübenfelds und der Hauswand einfach gewendet haben, so daß die Rückseiten jetzt die Innenwände des Hauses darstellen.

Wir sehen hinten zum Fenster hinaus, vor dem die Vögel kreisen.

Vormund und Mündel haben in diesem Fall die Gegenstände vor dem Haus (den Gegenstand unter dem Gummimantel usw.) hinter die Bühne geschafft und schaffen jetzt, wenn es wieder hell wird, dafür die Einrichtungsgegenstände für das Haus auf die Bühne.

Es handelt sich um das Spielnotwendige: ein recht großer Tisch, zwei Stühle, ein Elektrokocher, eine Kaffeemühle, eine Batterie von Flaschen, Gläsern, Geschirr (hinten auf dem Boden), eine Petroleumlampe, ein Gummischlauch, ein Stiefelknecht, eine Zeitung, die im Türspalt liegt.

An der Tür, an einem Nagel, hängt ein Ochsenziemer; an dem gleichen Nagel hängt eine Schere.

Von uns aus gesehen, an der rechten Zimmerwand sehen wir einen großen Abreißkalender hängen.

Damit wir aber das alles sehen können, ist inzwischen folgendes vor sich gegangen:

Der Vormund hat im Dunkeln ein Streichholz angerissen und damit die Petroleumlampe angezündet. Wie man aus manchen Stücken schon weiß, wird, wenn auf der Bühne eine Petroleumlampe angezündet wird, allmählich die ganze Bühne ziemlich hell: so auch hier.

Als die Bühne nun hell ist – vergessen wir nicht,

weiter auf die Musik zu hören, die weder leiser noch lauter wird – erblicken wir sie in folgendem Zustand: sie stellt jetzt das Zimmer im Haus dar. Aber dieses Zimmer ist noch leer, bis auf die Zeitung im Tür-spalt und den Gegenständen, die an der Tür hängen, und den Kalender.

Wir sehen, wie Mündel und Vormund, indem sie von links und rechts auf die Bühne kommen, die oben erwähnten Spielgegenstände im Zimmer verteilen: jeder trägt einen Stuhl herein, dann wird gemeinsam der Tisch auf die Bühne getragen, dann kommt der Vormund mit dem Gummischlauch, den er hinter sich her zieht und schließlich fallen läßt, dann kommt das Mündel mit Flaschen und Tellern, dann der Vor-mund mit Gläsern – geruhsam, aber auch nicht feier-lich – so, als ob wir gar nicht zuschauen würden. Zirkusarbeiter würden anders springen. Kein Hände-reiben, kein Besichtigen des getanen Werks, keine Bewegung nach der Musik.

Die beiden setzen sich, das Mündel beinah zuerst, dann stockt es mitten in der Bewegung, dann sitzt der Vormund, dann setzt sich das Mündel.

Beide machen es sich bequem.

Die Musik ist angenehm.

Der Vormund hat die Beine früher ausgestreckt, unter den Tisch.

Das Mündel, als es jetzt die Beine ebenfalls aus-streckt, unter den Tisch, stockt, als es die Füße des Vormunds berührt; dann, nach einer Pause, zieht es die Beine langsam zurück; die Beine des Vormunds werden nicht zurückgezogen.

Das Mündel sitzt da. Wohin mit den Beinen?

Ruhe, Musik.

Das Mündel stellt die Füße auf die Leiste des eigenen Stuhls; dazu schiebt es mit dem Körper den Stuhl zurück, dieser gibt das übliche Geräusch, der Vormund läßt sich nicht stören, er antwortet, indem er den Hut abnimmt und ihn vor sich auf den Tisch legt.

Ruhe, Musik.

Das Mündel: schaut im Kreis langsam im Zimmer herum, hinauf auch hinunter, spart aber den Vormund beim Schauen jeweils aus, kehrt mit dem Blick jeweils vor dem Vormund um: das wird so oft wiederholt, daß es seine Psychologie verliert.

Der Vormund: schaut das Mündel an.

Das Mündel: steht auf, greift einen Apfel aus der Hose unter der Arbeitshose und legt ihn neben den Hut.

Der Vormund: senkt den Blick auf den Apfel.

Das Mündel: fängt mit dem Blick wieder zu kreisen an. Was gibt es alles zu sehen im Zimmer?

Der Vormund: legt den Kopf plötzlich, wie eine Falle, zur Seite.

Das Mündel: wird vom Blick des Vormunds ertappt und hört auf herumzuschauen.

Gegenseitiges Anstarren, gegenseitiges Anschauen, gegenseitiges Durcheinanderdurchschauen, gegenseitiges Wegschauen. Man schaut einander aufs Ohr.

Das Mündel: stellt gleichzeitig beide Füße auf den Boden; wir hören es.

Der Vormund: schaut auf das Ohr.

Das Mündel: steht vorsichtig auf, leise.

Der Vormund: schaut ihm nach, auf das Ohr.

Das Mündel: geht, nur sich selber wahrnehmend, zur Tür, wobei die Schritte, die anfangs vorsichtig waren, immer sorgloser laut werden.

Der Vormund: schaut ihm nach.

Das Mündel: bückt sich zum Türspalt und zieht die Zeitung heraus.

Der Vormund: folgt nicht mit den Blicken dem sich bückenden Mündel, sondern schaut auf die Tür: was hängt an der Tür?

Das Mündel: richtet sich auf, geht mit der Zeitung unterm Arm zum Tisch zurück, fängt an, unterwegs wieder vorsichtig zu gehen, geht, als er beim Tisch ist, fast unhörbar, nimmt auf dem Weg mit der andern Hand die Zeitung unterm Arm hervor und hält sie schön in der Hand, als er am Tisch steht.

Der Vormund: schaut auf die Tür.

Das Mündel: legt die Zeitung schön neben den Hut und den Apfel.

Der Vormund: senkt den Kopf; wir hören in der Bewegungspause einen lauten Akkord.

Das Mündel: setzt sich lautlos, sitzt wie früher, und der nächste Musikakkord wird plötzlich leiser.

Der Vormund: entfaltet die Zeitung, so weit wie möglich. Er liest. Er faltet die Zeitung auf eine Seite zusammen, von der er darstellt, daß er sie liest. Er liest beschaulich.

Das Mündel: zieht im Sitzen recht mühsam ein winziges Buch aus der Hose, aus der er schon die Äpfel gezogen hat, und liest auch, nicht weniger beschaulich.

Der Vormund: faltet die Zeitungsseite zur Hälfte zusammen und liest weiter.

Das Mündel: zieht einen Bleistift aus der Hose, einen Zimmermannsbleistift ähnlich dem des Vormunds, nur kleiner: es streicht damit in dem Büchlein, während es liest, etwas an.

Der Vormund: faltet die Zeitung weiter zusammen.

Das Mündel: streicht in dem Buch nichts mehr an, sondern streicht etwas durch.

Der Vormund: faltet, so gut das geht, weiter.

Das Mündel: fängt offensichtlich in dem Büchlein zu zeichnen an.

Der Vormund: faltet.

Das Mündel: gerät mit dem Zeichnen über das Buch hinaus und zeichnet sich in die Handfläche.

Der Vormund: s. o.

Das Mündel: zeichnet auf den Handrücken.

Der Vormund: muß allmählich knüllen, aber den Übergang vom Falten zum Knüllen haben wir eigentlich gar nicht bemerkt.

Das Mündel: zeichnet sich auf den Unterarm; es müssen gar nicht ähnliche Figuren sein wie in der Tätowierung des Vormunds.

Der Vormund: faltet und liest jetzt eindeutig nicht mehr, sondern knüllt heftig.

Beide Figuren sind mit heftigem Zeichnen, andrerseits Knüllen beschäftigt.

Der Vormund: jetzt hat er die Zeitung zusammengeknüllt.

Das Mündel: zeichnet noch immer.

Der Vormund: ist still, schaut mit dem Zeitungs-knollen in der Faust auf das Gegenüber, das zeichnet.

Das Mündel: zeichnet, je länger das Schauen des Gegenübers dauert, desto langsamer. Dann kratzt es sich nur noch mit dem Bleistift, statt zu zeichnen, dreht den Bleistift schließlich um und kratzt sich den Arm mit dem anderen Ende, drückt den Bleistift nur noch in den Arm, ohne ihn zu bewegen. Dann gibt es auf und legt den Bleistift langsam neben den Hut auf den Tisch; die Hand zieht es schnell weg und legt sie, langsam, auf den bezeichneten Unterarm.

Der Vormund: legt die Faust mit der zerknüllten Zeitung auf den Tisch, läßt die Faust aber drauf liegen.

Das Mündel: fängt wieder an, im Raum umherzu-schauen, hinauf, hinunter, zur Seite, an sich selber herunter.

Der Vormund: löst die Faust vom Papierknollen und legt die Hand daneben auf den Tisch; die zu-sammengeknüllte Zeitung bläht sich allmählich wie-der auf.

Die Musik, hörbar lauter, ist angenehm.

Die Bewegungsruhe, die folgt – ohne daß freilich die Personen zu lebenden Bildern erstarrt sind –, lei-tet unauffällig den nächsten Vorgang ein.

Wir haben in der kurzen Bewegungsruhe nur die Musik gehört. Jetzt wird die Musik fast unhörbar, wie das Hauptthema an manchen Stellen eines Films fast verschwindet.

Wir sehen, daß der Vormund die Unterarme auf

den Tisch legt. Als Antwort auf diese Bewegung des Vormunds legt das Mündel die Hände auf den Tisch; die Fingerspitzen sind auf den Vormund gerichtet.

Der Vormund, ohne das Mündel anzuschauen, legt langsam den Kopf auf die Unterarme, besser gesagt, auf die Hände, derart, daß Mund und Nase auf dem Handrücken liegen und die Augen also drüberschauen.

Das Mündel beugt langsam den Kopf gegen den Tisch, bis der Kopf auf der Höhe der auf den Tisch gelegten Arme zwischen den Armen hängt.

Nach einem kurzen Stillstand des Kopfes in dieser Höhe senkt das Mündel den Kopf noch tiefer, zwischen die ausgestreckten Arme hinein, die es jetzt doch knicken muß, solange, bis der Kopf fast die Knie berührt: in dieser Stellung verharrt das Mündel.

Der Vormund: zieht den Kopf soweit an sich, daß dieser jetzt nicht mit Mund und Nase, sondern mit der Stirn auf den Händen liegt.

Das Mündel: spreizt jetzt die Knie und steckt den Kopf tiefer zwischen die abgeknickten Arme und die gespreizten Knie hindurch.

Der Vormund: zieht die Hände unter dem Kopf hervor und liegt jetzt mit bloßem Gesicht, das heißt, mit der bloßen Maske, auf dem Tisch.

(Alle diese Bewegungen geschehen zwar sehr langsam, aber nicht feierlich.)

Das Mündel: läßt die Arme vom Tisch fallen, läßt aber den Kopf zwischen den Knien in der gleichen Höhe.

Der Vormund: rückt, während er mit dem Gesicht in der gleichen Lage bleibt, den Stuhl mit dem Körper soweit zurück, als das noch möglich ist, ohne daß er vom Stuhl und vom Tisch rutscht.

Das Mündel: schließt, wenn möglich, die Knie über dem Kopf oder zu beiden Seiten des Kopfes zusammen.

Als ob niemand zuschaut, sind die beiden auf der Bühne ganz ruhig.

Wir hören die Musik etwas deutlicher.

Einige Zeit vergeht, sie ist schon vergangen.

Die Gegenstände sind an ihren Plätzen, hier, dort.

Ohne daß wir die Zwischenbewegungen bemerkt haben, ist der Vormund aufgestanden: er steht da, er stellt das Dastehen dar, mehr nicht.

Was wird jetzt das Mündel tun?

Einige Zeit vergeht; wir warten.

Jetzt setzt sich das Mündel auf, ohne daß wir die Zwischenbewegungen besonders wahrnehmen.

Was tut der Vormund? – Er geht auf der Bühne umher und stellt das Gehen dar.

Das Mündel: steht auf; steht da.

Der Vormund läuft: das Mündel fängt zu gehen an.

Der Vormund springt: das Mündel fängt ...

Der Vormund steigt auf einen Stuhl und steht jetzt auf dem Stuhl: das Mündel springt nicht, sondern bleibt stehen; steht.

Der Vormund steigt auf den Tisch: das Mündel steigt auf den Stuhl.

Der Vormund stellt sich den anderen Stuhl auf den Tisch und steigt auf den Stuhl auf dem Tisch: das Mündel, wie könnte es anders sein, steigt auf den Tisch.

Der Vormund hängt sich an einen Strick in der Luft und hängt: das Mündel steigt auf den Stuhl auf dem Tisch.

Der Vormund hängt still, ein wenig baumelnd, und das Mündel steht still hoch auf dem Stuhl, auch für sich.

Der Vormund: läßt sich fallen. Er landet mit geknickten Knien; richtet sich jetzt langsam auf, zu seiner vollen Größe.

Das Mündel: schnell klettert es vom Stuhl auf den Tisch hinunter, vom Tisch auf den andern Stuhl hinunter, von diesem Stuhl auf den Boden hinunter, hebt dabei auch den ersten Stuhl vom Tisch, stellt ihn an den alten Platz und hockt sich fast zugleich auch schon hin.

Das alles ist so schnell vor sich gegangen, daß wir, wenn wir hätten zählen wollen, kaum viel weiter als bis eins hätten zählen können.

Der Vormund: hockt sich, langsam, gleichfalls hin.

Das Mündel: setzt sich auf den Boden.

Der Vormund: setzt sich, langsam, auch.

Das Mündel: kaum hat der Vormund sich gesetzt, legt es sich schnell ganz auf den Boden und liegt nun auf dem Rücken.

Der Vormund: langsam, langsam legt er sich auch auf den Rücken und macht es sich so bequem.

Das Mündel: kaum liegt der Vormund auf dem

Rücken, rollt es sich ganz schnell herum und legt sich auf den Bauch.

Der Vormund: indem er jede Bewegung geräuschvoll ausspielt, wälzt er sich gemächlich auch auf den Bauch.

Das Mündel krümmt sich jetzt, so gut es geht, an allen Extremitäten zusammen. Wir sehen, wie es überall schrumpft und kleiner wird. Es ist doch nicht vorher mit Luft aufgeblasen gewesen, so daß ihm jetzt die Luft ausgeht? Jedenfalls scheint es uns so. Das Mündel wird immer kleiner, immer flächiger, die Bühne wird immer dunkler, der Vormund bleibt auf dem Bauch, wie er zuletzt war, die Bühne ist jetzt dunkel, wir hören die isolierten Akkorde.

Die Bühne wird hell.

Wir sehen, daß die beiden Figuren wieder in ihren alten Stellungen am Tisch sitzen.

Der Vormund steht auf, geht zum Stiefelknecht, zieht sich am Stiefelknecht formgerecht, ohne Übertreibung, als ob niemand zuschaut, die Stiefel aus. Er befördert den jeweils ausgezogenen Stiefel mit einem Tritt über die Bühne.

Das Mündel steht auf, geht hierhin und dorthin, wo die Stiefel jetzt liegen und stellt die Stiefel nebeneinander neben die Tür.

Vormund und Mündel begeben sich nacheinander an ihre Plätze zurück.

Eine kurze Pause.

Der Vormund rollt sich die Wollsocken von den Füßen und schmeißt sie, zusammengeknäult, über die

Bühne, einen hierhin, den andern dorthin, ohne erkennbare böse Absicht, so, als ob niemand zuschaut.

Das Mündel steht auf, sucht die Socken zusammen, zieht sie auseinander, stülpt sie um und legt sie, so schön das möglich ist, über die Gummistiefel. Dann kehrt es zum Tisch zurück und setzt sich.

Der Vormund hat ihm nicht zugeschaut.

Der Vormund steht auf, geht zur Tür, an der die Schere hängt, nimmt die Schere vom Nagel und kehrt mit der Schere zum Tisch zurück.

Nachdem er sich gesetzt hat, stellt er den nackten Fuß auf die Seitenleiste des Stuhls und schneidet sich die Fußnägel.

Wir kennen die Geräusche.

Er tut so, als ob wir nicht zuschauten.

Er schneidet sich die Nägel, so langsam, so lange, bis es nicht mehr komisch wirkt. Als er endlich fertig ist, legt er die Schere auf die Knie.

Nach einiger Zeit steht das Mündel auf und geht auf der Bühne umher, wie wir sehen, um die abgeschnittenen Nägel einzusammeln, in die hohle Hand. Auch er tut das so langsam, daß es gar nicht zum Lachen ist.

Als er sich endlich aufrichtet und auch schon zum Tisch zurückkehrt, nimmt der Vormund die Schere von den Knien und fängt jetzt an, die Fingernägel zu schneiden.

Das Mündel kehrt um und geht zum Abreißkalender, der rechts an der Wand hängt.

Der Vormund schneidet, und das Mündel reißt ein Blatt vom Kalender seitlich ab.

Der Vormund schneidet, und ...
Der Vormund schneidet, und ...

Es ist ein langsamer Vorgang, ohne Rhythmus; der Vormund braucht verschieden lang für jeden Nagel, und das Mündel braucht verschieden lang für jedes Kalenderblatt; die Geräusche des Schnippens und des Reißens hören wir nicht jeweils hintereinander, sondern durcheinander, zuweilen auch zugleich; die Kalenderblätter flattern oder fallen zu Boden.

Jetzt ist der Kalender ohne Blätter, wir sehen nur noch den recht großen leeren Deckel an der Wand.

Aber der Vormund schneidet noch immer die Fingernägel, und das Mündel steht tatenlos, mit hängenden Armen, das Gesicht halb zur Wand, an der Wand.

Die Musik, die deutlicher wird, ist so angenehm, daß uns das Geräusch der Schere wenig berührt.

Und jetzt, als die Bühne dunkel wird, hört das Geräusch auch schon sofort auf.

Es wird hell.

Die beiden Personen sitzen an ihren Ausgangspunkten am Tisch, still, für sich.

Der Vormund: steht auf, geht zum Elektrokocher. Er nimmt einen Teekessel hinter der Reihe der Flaschen hervor, steckt den Gummischlauch in den Kessel.

Der Vormund geht seitlich von der Bühne, kehrt gleich zurück.

Wir hören, wie das Wasser in den Teekessel rinnt.

Der Vormund geht seitlich von der Bühne, kommt gleich zurück.

Er zieht den Gummischlauch aus dem Teekessel, läßt ihn fallen. Er steckt den Verschluß auf den Teekessel und stellt den Kessel auf die Elektroplatte.

Er schaltet die Platte ein.

Der Vormund zieht den Gummischlauch auf die Bühne. Weil der Schlauch, wie es scheint, ziemlich lang ist, zieht er ziemlich lang. Schließlich hat der Vormund den Schlauch ganz auf die Bühne gezogen. Nichts Komisches ereignet sich.

Er legt den Schlauch fachgerecht über Ellbogen und Hand zusammen, geht dann zum Tisch, legt den zusammengerollten Schlauch zu den anderen Sachen auf den Tisch.

Er nimmt seine Stellung ein.

Still, in sich versunken, hocken die beiden Figuren auf der Bühne.

Wir hören allmählich das Wasser im Teekessel summen ... Die Geräusche entstehen, die entstehen, wenn Wasser erhitzt wird.

.

.

Das Mündel erhebt sich, holt die Kaffeemühle, setzt sich, setzt sich zurecht, klemmt die Mühle zwischen die Knie und fängt zu mahlen an. Wir hören das Knirschen ... Das Mündel mahlt, in sich versunken ...

.

.

.

.

.

Der Teekessel pfeift . . . .

.

.

Das Mündel hört allmählich zu mahlen auf . . .

.

.

.

Jetzt wird wohl der Verschluß vom Teekessel springen, so daß wieder Ruhe herrscht.

Die Musik wird eingesetzt an der geeigneten Stelle, wenn es auf der Bühne schon wieder dunkel geworden ist.

Auf der hellen Bühne erblicken wir die beiden Personen am Tisch, die Elektroplatte ist freilich inzwischen abgeschaltet.

Der Vormund steht auf und geht von der Bühne.

Er kehrt aber recht bald zurück, in der einen Hand hat er eine Pfanne mit glühendem Weihrauch, in der andern Hand eine große weiße Kreide.

Wir riechen den Weihrauch und sehen auch die Weihrauchwolken.

Der Vormund geht zur Tür und fängt an, etwas oben auf die Tür zu schreiben.

Im Augenblick, als er die Kreide ansetzt, dreht sich das Mündel auf dem Stuhl ihm zu und greift gleichzeitig in die Tasche unter die Arbeitshose. Er wirft etwas auf den Vormund – es muß etwas sehr Leichtes sein, weil der Vormund in seinem sehr langsamen Schreiben, das wir fast als Malen bezeichnen können, nicht einhält.

Das Mündel setzt sich zurecht und wirft wieder, ohne Eile.

Der Vormund schreibt: das Mündel wirft.

Wir sehen, daß die Geschosse des Mündels am Hemd des Vormunds haften bleiben: ja, es sind Kletten.

Während der Vormund langsam schreibt, wirft das Mündel ab und zu, ohne Ausdruck in der Art des Werfens, eine Klette auf den Vormund.

Dazu hören wir Musik und riechen Weihrauch.

Dem Vormund sitzt allmählich eine Traube von Kletten auf dem Rücken, während er schreibt.

Er schreibt langsam an der Tür herunter:

K+M+B
K+M+B
K+M+B
K+M+B

.
.
.
.

Das Mündel nimmt jetzt die Kletten aus der vollen Faust und wirft mit der andern Hand.

Der Vormund, indem er schreibt, spart das Ochsenziemer an der Tür aus.

Jetzt tritt er zurück.

Das Mündel wirft gerade wieder einmal.

Der Vormund dreht sich beiläufig herum, nicht schnell: zur gleichen Zeit wirft das Mündel – eine Klette trifft die Brust des Vormunds (oder auch nicht).

Der Vormund steht für sich da: das Mündel wirft die Kletten, die es noch in der Faust hat, auf den Vormund.

Die Pfanne mit dem Weihrauch hält der Vormund vor sich hin. Je länger der Vormund die Weihrauchpfanne so hält, desto länger werden die Werfabstände.

Dabei —

— wird es auch schon wieder einmal allmählich dunkel, und die Musik . . . (siehe oben)

Auf der wieder hellen Bühne sitzen die beiden Figuren, am Tisch, jeder für sich.

Sie sitzen, jeder für sich.

„   „   „   „   „
„   „   „   „   „
„   „   „   „   „
„   „   „   „   „

Auf einmal sehen wir, daß dem Mündel die Nase blutet. Das Blut rinnt aus der Nase, über den Mund, übers Kinn, aus der Nase . . .

Der Vormund sitzt für sich, das Mündel rührt sich nicht von der Stelle, nicht auf der Stelle . . .

Allmählich wird es auch schon langsam wieder dunkel auf der Bühne . . .

Als wir wieder etwas sehen, sitzen die beiden in ihren Haltungen am Tisch.

Das Mündel steht auf und stellt sich an die hintere Wand, mit dem Rücken zu uns.

Der Vormund steht auf, geht zum Mündel, faßt es,

31

ohne Ausdruck (ohne Gewalt) an den Schultern und dreht es herum. Der Vormund, nach einer Pause, wechselt den Griff der Hände und dreht das Mündel wieder um.

Aus dem Umdrehen wird allmählich ein Um-und-Um-Drehen, jetzt ein Drehen.

Der Vormund dreht mit Leichtigkeit, fast nebenbei (für sich), und das Mündel dreht sich leicht, nebenbei, für sich. Ohne Übergang, ohne Taumeln auf beiden Seiten, sehen wir den Vormund plötzlich bei den Flaschen und Tellern auf dem Boden stehen.

Das Mündel steht schon einige Zeit, als wir es stehen sehen. Der Vormund hat sich schon gebückt und wirft dem Mündel im Bücken eine Flasche zu: das Mündel stellt dar, wie es fangen will, aber nicht fangen kann – die Flasche fällt zu Boden und tut das, was sie tut.

Wie man sich denken kann, geht das jetzt so weiter: Gebückt wirft der Vormund dem Mündel Flaschen, Teller und Gläser zu, aber das Mündel, obwohl sichtlich bemüht, läßt alle Gegenstände fallen, und diese zerbrechen oder nicht.

Auch dieser Vorgang hat keinen gleichmäßigen Rhythmus; die Personen warten ab und zu, dann wirft der Vormund wieder, dann greift das Mündel wieder daneben . . .

Plötzlich, noch ehe die Batterie der Flaschen usw. weg ist – mitten im schönsten Werfen und Zerbrechen – fängt, wie zufällig, das Mündel einen Gegenstand auf.

Wir erschrecken.

Im gleichen Moment wird die Bühne dunkel, schlagartig.

Und wieder wird es hell, und die beiden sitzen am Tisch. Der Vormund steht auf und geht wohin? Er weiß anscheinend nicht, wo er hingehen soll.

Nein, zum Kalender will er nicht.

Er dreht um, dreht wieder um, dreht sich um.

Das Mündel ist aufgestanden und ihm nachgegangen: es stellt dar, wie es die Unschlüssigkeit des Vormunds teilt und macht die Bewegungen des Vormunds nach, sowohl die Bewegungen der Beine als auch die Unschlüssigkeitsbewegungen der Arme, ohne daß freilich das Nachahmen ein genaues Nachäffen werden muß.

Beinah stoßen sie zusammen, wenn der Vormund, wohl auch den Scherben ausweichend, plötzlich die Richtung ändert, mehr als einmal tritt das Mündel dem Vormund auf die Fersen. Sie bewegen sich weiter auf der Bühne umher, ein Ziel vortäuschend, das sie dann, jeweils kurz vor dem Erreichen, wieder aufgeben.

Plötzlich ist der Vormund an der Tür, geht schon hinaus, ergreift die äußere Klinke, um die Tür hinter sich zuzuziehen – das Mündel ergreift die Klinke von innen, will dem Vormund folgen, aber der Vormund zieht beharrlich.

Das Mündel zieht zurück.

Der Vormund, indem er ohne Übergang fest anzieht, schlägt das Mündel nachreißend, die Tür hinter sich und vor dem Mündel zu.

Das Mündel steht kurz an der Tür, die Hand um die Klinke, jetzt die Hand an der Klinke.

Das Mündel läßt die Hand fallen.

Der Vormund ist draußen, es ist still.

Das Mündel läßt sich auf die Knie, ohne freilich auf die Knie zu fallen, und kriecht schon schnell unten durch die Tür hinaus: jetzt erst sehen wir, daß in der Tür eine Klappe angebracht ist, wie für eine Katze.

Als das Mündel draußen ist, wird die Bühne langsam dunkel.

An die Musik haben wir uns schon gewöhnt.

Die Pause jetzt länger; denn das Innere wird nach außen gekehrt.

Eine Drehbühne brauchte sich nur zu drehen.

Sonst aber werden im Dunkeln die Prospekte umgedreht.

Es wird hell: ein regnerischer Tag.

Vormund und Mündel stellen die Gegenstände auf der Bühne auf: den großen länglichen Gegenstand, der vom schwarzen Regenmantel verhüllt ist und den sie zu zweit hereintragen, den Schemel, Rüben und Kürbisse.

Jetzt ist alles verteilt, und das Mündel setzt sich auf den Schemel, während der Vormund sich neben den Gegenstand stellt.

Ohne Anfang hat das Spiel wieder angefangen: der Vormund nimmt den Gummimantel von dem Gegenstand, so daß dieser sich als eine Rübenschneidemaschine entpuppt.

Der Vormund zieht den Regenmantel an (er ist immer noch bloßfüßig) und läßt zur Probe das Messer der Maschine ein paarmal ohne Rüben niederfallen.

Das Mündel steht auf und stellt sich neben das Gerät. Der Vormund bückt sich nach einer Rübe, schiebt diese bis zum Kraut unter die Schneide und zieht das Messer kurz herunter, ohne Gewaltanstrengung, wie er zugleich mit der Bewegung es darstellt: – die Rübe fällt ohne Kraut zu Boden.

Der Vormund wiederholt den Vorgang ausführlich, lehrhaft: – eine andre Rübe fällt herunter.

Das Mündel schaut zu, nicht bewegungslos, aber auch ohne sich viel zu bewegen.

Der Vormund wiederholt den Vorgang.

Das Mündel holt eine Rübe, macht dabei aber so viele Umwege, daß wir seine genagelten Schuhe hören können ebenso wie die nackten Füße des Vormunds, der nun zur Seite geht und sich aufstellt.

Das Mündel: hebt das Messer des Geräts, schiebt die Rübe bis zum Kraut darunter und hackt die Rübe ab . . .

Der Vormund: tritt dazu, steht dabei, tritt wieder zurück . . .

Das Mündel: geht und holt ein paar Rüben und legt sie zurecht . . .

Der Vormund: kommt herzu, steht dabei.

Aus dem Haus schleicht plötzlich die Katze.

Der nächste Schlag des Mündels mit dem Messer ist so schwach, daß die Rübe nicht sofort zu Boden fällt.

Der Vormund bleibt dabei stehen.

Beim nächsten Schlag fällt die Rübe zu Boden.

Die Katze tut, was sie tut.

Der Vormund steht dabei.

Wieder hat das Mündel mit einer Rübe Schwierigkeiten: er schlägt einmal, ein zweites Mal, dann, ohne den Vormund anzuschauen, der wieder mit seinen nackten Füßen auf der Bühne herumzugehen anfängt, ein drittes Mal, dann, nach einiger Zeit, als der Vormund wieder bei ihm steht und ihm zuschaut, wieder, dann, später – es wird schon dunkler auf der Bühne – ein fünftes Mal (der Vormund fängt wieder zu gehen an), dann – es ist schon ziemlich finster (steht der Vormund dabei?) endlich wieder, und jetzt – wir können gar nichts mehr sehen – noch einmal, ohne daß wir ein Fallgeräusch hören, und darauf ist es still auf der Bühne, ziemlich lang.

Nachdem es oben auf der Bühne schon ziemlich lang still gewesen ist, hören wir, zuerst ziemlich leise gestellt, ein Atmen laut werden. Wir erkennen es. Es wird lauter, das heißt, immer räumlicher – ein Röcheln? ein sehr angestrengtes Luftholen? Oder nur ein großer Blasebalg? Oder ein riesiges Tier?

Es wird recht gleichmäßig lauter.

Allmählich wird es zu räumlich für diesen Raum.

Ist es hier, ist es dort?

Plötzlich ist es still.

Nach langer Zeit wird es wieder hell.

Das Haus, das Maisfeld, das Rübenfeld.

Wir sehen weder die Katze, noch den Vormund, noch das Mündel; nicht einmal die Rübenschneidemaschine steht auf der Bühne – außer den drei Prospekten ist alles leer.

Jetzt kommt jemand rechts herein: das Mündel.

Es trägt eine Blechwanne vor dem Bauch und, um den Oberkörper gewickelt, einen Gummischlauch.

Die Arbeitshose hat es abgestreift.

Die Wanne wird auf den Boden gestellt, der Schlauch wird entrollt.

Das eine Ende des Schlauchs hängt das Mündel in die Wanne, mit dem andern geht es, indem es den Schlauch geradezieht, von der Bühne.

Wir hören, wie auf der leeren Bühne aus dem Schlauch Wasser in die Blechwanne rinnt, einige Zeit.

Dann kommt das Mündel zurück, einen Sandsack auf dem Arm.

Es stellt den Sandsack neben der Wanne auf den Boden. Es greift mit der Hand in den Sandsack.

Es steht auf und läßt stehend, ohne ihn durch die Finger rieseln zu lassen, eine Handvoll Sand in das Wasser fallen.

Es greift wieder in den Sandsack und läßt, im Stehen, den Sand in das Wasser fallen.

Es greift wieder in den Sandsack und läßt, im Stehen, den Sand in das Wasser fallen, gemächlich, ohne Gleichmäßigkeit, ohne Feierlichkeit.

Es greift wieder in den Sandsack und läßt, im Stehen, den Sand in das Wasser fallen.

Jetzt hören wir wieder die isolierten Akkorde.

Das Mündel greift in den Sandsack und läßt, als es sich aufgerichtet hat, den Sand in das Wasser fallen.

Das Mündel greift in den Sandsack und läßt, als es sich aufgerichtet hat, den Sand in das Wasser fallen.

Das Mündel greift in den Sandsack und läßt, als es sich aufgerichtet hat, den Sand in das Wasser fallen.

.

.

.

.

Wir hören beides, die Akkorde und den Sand, der ins Wasser fällt, als die Bühne allmählich dunkel wird.

.

.

.

.

.

Jetzt geht der Vorhang zu.

Quodlibet

Der Vorhang geht auf, und auf die leere Bühne
kommen nach und nach, leise plaudernd, die Figuren
des Welttheaters, ein General in Uniform, ein Bischof
im Ornat, ein Rektor im Talar, ein Malteserritter
mit Ordensmantel, ein Korps-Student mit Käppi
und Schärpe, ein Chicago-Gangster mit Hut und
dunklem Zweireiher, ein Politiker mit zwei waffen-
dicken Leibwächtern vom CIA, ein Turniertanz-
paar, in dunklem Anzug und weißem Rollkragen-
pullover, und kurzem wippendem Tanzkleid, eine
Dame im knöchellangen Abendkleid, mit einem Fächer, eine andere weibliche Person im Hosenanzug,
mit einem Pudel an der Leine.

Diese Figuren betreten in beliebiger Reihenfolge
die Bühne, kommen allein oder in Paaren, ineinander
eingehängt oder auch nicht. Während sie miteinander
plaudern, gehen sie langsam auf der Bühne umher,
bleiben hier und dort stehen und lachen leise über
eine Bemerkung, gehen nach einiger Zeit wieder weiter, ohne daß man sie freilich gehen hört. Jeder plau-
dert mit jedem, ab und zu steht einer allein herum,
bevor er sich wieder, als sei ihm etwas eingefallen,
plaudernd einem anderen anschließt; nur die Leibwächter nehmen an der Unterhaltung nicht teil, nikken höchstens einander zu, schauen sonst aber immer
von den Figuren weg in die Umgebung, einmal hinauf in den Schnürboden, dann, ohne sich freilich zu
bücken, in den Souffleurkasten, dann ins Theater-
gewölbe hinauf wie in die fünfte Etage eines Hauses,
jedenfalls niemals ins Publikum; dieses ist für die

Leute auf der Bühne nicht vorhanden. Einen Augenblick sieht man vielleicht, wie alle Figuren stehengeblieben sind, aber schon im nächsten Augenblick gehen ein oder zwei wieder weiter; ebenso ergeben sich im allgemeinen Gespräch ab und zu ganz kleine Momente einer fast völligen Stille, Momente, in denen man nur das Rauschen oder Kratzen eines Gewandsaums auf dem Boden hört, worauf aber die Gesellschaft um so einhelliger zu plaudern fortfährt.

Die Figuren schreiten fast lautlos, in sich versunken, umher, stehen still, sind still, plaudern; das ist eigentlich alles. Es steht den Schauspielern frei, was sie reden wollen: über das, was sie gerade in der Zeitung gelesen haben, was sie am Tag erlebt haben, was sie erleben wollen, oder was ihnen gerade einfällt oder von dem sie glauben, daß es so wirkt, als sei es ihnen gerade eingefallen. Ein-, zweimal glaubt man auch, eine Fremdsprache zu hören; Französisch wahrscheinlich: C'est très simple, Monsieur. – Ah merci ... Oh! mes pauvres cheveux! ... Ah! Ce vent! ... Cette pluie! ... Oder etwas dergleichen, jeweils von den Frauen gesprochen. Die Zuschauer hören zwar zu, verstehen aber nur selten ein paar Wörter oder Satzteile oder einfache, alltägliche Sätze.

Unter den Wörtern und Sätzen, die die Zuschauer verstehen, sind neben belanglosen, nichtssagenden wie »Verstehen Sie«, »Nicht daß ich wüßte«, »Warum auch nicht?«, »Nicht zu vergleichen«, »Wie gesagt«, »Und Sie?« auch ein paar, von denen die Zuschauer nur glauben, daß sie sie verstehen. Es handelt

42

sich dabei um Wörter und Sätze, die im Theater als Signale wirken: Ausdrücke der Politik; der Sexualität; der Analsphäre; der Gewalt. Freilich handelt es sich nur um ähnliche Ausdrücke, nicht die richtigen: jene signalisieren diese; die Zuschauer werden schon die richtigen verstehen. Statt »vergasen« *wird auf der Bühne vom* »Vergaser« *gesprochen, statt von* »betonter Nichteinmischung« *von der* »Betonmischmaschine«, *statt* »Auschwitz« *spricht man vom* »Aus-Schwitzen«, *statt von* »Napalm« *spricht man von* »Nappa-Leder«, *statt* »mannstoll« *versteht man beim zweiten Mal richtig* »randvoll«, *statt von* »Ledernacken« *spricht man von* »Lederjacken« ... *Oder die Schauspieler verwenden Wörter mit verschiedenen Bedeutungen in Sätzen mit der jeweils harmloseren Bedeutung, aber in so dichter Reihenfolge hintereinander, daß man, statt auf die Sätze, auf die mißverständlichen Wörter hört, zum Beispiel* »Zyklon«, »braun«, »Fackel«, »gespreizt«, »Krebs«, »Schlüpfer«, »Scheide«, »Schenkel«, »Presse«, »Glied«, »rasen«, »krei(s)sen«, »Kot« ... *Ebenso werden viele Sätze hintereinander gesprochen, die für sich ganz unverfänglich sind, in denen aber immer wieder Wörter vorkommen, die, wenn sie gehäuft auftreten, allmählich als Anspielungen wirken: einem Satz, in dem das Wort* »Goldzahn« *vorkommt (*»Ich wollte vorne keinen Goldzahn, verstehen Sie?«*), folgt ein Satz, in dem das Wort* »Duschraum« *vorkommt (*»In meiner Fabrik hat jede Abteilung eine eigene Dusche«*); dann ein Satz, in dem das Wort* »Verladerampe« *vorkommt (*»Das Foto von der Schulklasse* auf der Laderampe, wenn ich so sagen darf«), *ein Satz, in dem* »unter Strom gesetzter Draht« *vorkommt* (»Wir haben den Draht unter Strom setzen lassen, damit die Kühe . . .«), *ein Satz, in dem das Wort* »deutscher Schäferhund« *vorkommt* (»Mein Hund, ein deutscher Schäferhund, Sie wissen ja, hat auf der Hundeausstellung eine Medaille bekommen«); *darauf ein Satz, in dem das Wort* »Schuhe« *vorkommt* (»Sie hat, vertraulich gesprochen, einen Schrank voller alter Schuhe«), *dann ein Satz mit dem Wort* »Haarbüschel« (»Das Friseurmädchen kehrte nämlich die Haarbüschel zu einem Haufen zusammen, müssen Sie wissen«), *ein Satz mit dem Wort* »Türme« (»Die Türme beherrschen nun einmal die Landschaft, mein Lieber«), *und zuletzt in der Reihe ein Satz mit dem Wort* »Seife« (». . . stahl, ungelogen, in jedem Hotel die Seife«).

Der »Schlag« *ist ein* »Wagenschlag«, *die* »Prügel« *sind* »Prügel, die man uns zwischen die Beine geworfen hat«, *die* »Bombe« *erweist sich als eine* »Bombe im Kreuzeck«, *die* »Gehirnmasse an einem Stein« *erweist sich in der Wiederholung selbstverständlich als die* »Gehirnmasse Einsteins«, *nicht einer* »Laus in die Visage hauen« *wollte man, vielmehr* »vis-à-vis ein Haus bauen«, *wo* »Blut gespritzt ist«, *hat nur jemand* »Blut geschwitzt«, *die* »Kakerlaken« *waren nur ein* »Papperlapapp!«, *der* »Schuß«, *von dem die Rede ist, ist nur ein* »Schuß Cognac« *gewesen, und was* »durch den Kopf geschossen« *ist, das sind nur* »Gedanken« *gewesen:* »Durch den Kopf geschossen!« – »Durch den Kopf geschossen?« – »Ja, Ge-

44

danken; Gedanken sind mir durch den Kopf geschossen.«

»Kassiert!« – »Kassiert ganz schön!« – »Die Polizei?« – »Von der Polizei?« – »Kassiert?« – ».... gebrochen!« – »Vor Gram ...« – »Der Hals?« – »....
einer Flasche!« – »... den Hals!« – »Gebrochen ...«
– »... und den Finger hineingesteckt ...«

»Gut!« – »Abgemacht!« – »Was für ein Kopf!« –
»Das Gut verkauft?« – »Was?« – »Gut einen Kopf
kürzer!« – »Gemacht!« – »Was für ein Kopf?« –
»Gut, gut!«

»... drei, vier:« – »Eins, zwei, drei – los!« – »Eins,
zwei, drei, vier, fünf, sechs, sieben ...« – »Eins, zwei,
drei, vier, fünf, sechs, sieben (Pause), acht (Pause),
neun – aus!« – »Einmal, noch einmal, ein drittes Mal,
viermal, fünfmal, und noch einmal ...« – »Und
dann wurde es schon hell draußen ...« – »Einundzwanzig, zweiundzwanzig – unheimlich, unheimlich!« – »Dann habe ich zu zählen aufgehört ...«

»›Leichen in ruhenden Gewässern‹...« – »Oh, was
für ein schöner Titel!« – »Wie ein O?« – »... legten
da Eier ab.« – »O wie Ostern?« – »Als ob nichts
wäre ...« – »Pfui!« – »... ›und sagte kein einziges
Wort‹!« – »Was für ein schöner Titel!« – »Oh!« –
»... in ruhenden Gewässern legen die Fische ...« –
»Im Bodensee?« – »Pfui! Pfui! Und nochmals Pfui!«
– »Sagen wir, es war nichts!« – »Laut Genfer Konvention, nicht wahr?«

»Das Projekt ist gestorben ...« – »›Sterbend‹ ist
ein Tippfehler, eigentlich müßte es ›strebend‹ hei-

45

ßen!« – »Vor Angst?« – »Ein Projektil mit einem Kreuzeinschnitt an der Spitze . . .« – »Leise!« – »Gestorben?« – »Ganz leise!« – »Ich sterbe!« – »Wie hieß doch das Nachtlokal?« – »Dum-Dum!« – »Vor Lachen?« – »Ich kann nicht mehr?« – »Blut?« – »Bis aufs Blut!« – »Für mich ist er gestorben!« – »Starb für uns alle . . .« – »Still!« – »Pst!« – »Ruhe!« – »Ruhig!« – »Ruhe!« – »Pst!« – »Still!« – (Stille) – »Ein Engel ist durchs Zimmer gegangen!«

»Oh, Harlem . . .!« – »Ja!« – »Unvergeßlich, diese Tulpenfelder!« – »Haarlem . . .« – »Ja-a . . .«

». . . vor Angst geschüttelt!« – »Verzeihen Sie die Frage: ›Vor Angst geschüttelt?‹« – *Ein andrer im Hintergrund:* ». . . vor Gebrauch schütteln!« – »Verzeihung!«

». . . schon von weitem zu sehen: ertränkte Kinder . . .« – »Ertränkt?« – »Tränkte. Er tränkte Rinder, John Wayne, glaube ich, wie hieß nur der Film?« – *Jemand weiter weg:* ». . . die Zähne ausschlagen.« – »Richtig: ›Die ausgeschlagene Erbschaft‹!« – *Und weiter weg wieder jemand:* »Einverstanden!«, *und zwei andere schlagen ein, und jemand ganz deutlich:* ». . . wie Bomben!«

Gleich weiter: »Einen Pflock in den After getrieben!« – *Lauter:* »Obst auf Lastern vertrieben.« – *Ganz verständlich, wenn auch nicht laut, leichthin ein Gedicht deklamierend:* ». . . ob auf Astern Tautropfen blieben . . . / . . . ob Sorgen im Alter zerstieben . . .« – *An den Gesprächspartner:* »Erinnern Sie sich noch?« – *Der Gesprächspartner neigt lächelnd den Kopf und geht weiter:* »Ob Grock mit wehmütigem

Lächeln . . .« – *Leiser der erste:* »Hecheln?« – *Noch leiser:* »Mit welchen Engeln?« – *Von ganz woanders hört man jemanden lauter werden:* ». . . Kelch des Leidens . . .« – *Jetzt geht auch der erste lächelnd weiter.*

Und weiter: »Und ein Speichelfleck auf der Hose, der mich . . .« *(Die Dame mit dem Fächer im Hintergrund der Bühne zu ihrem Partner).* – »Ja, die Schweine, die Eicheln fressen . . .«, *glaubt man darauf den Partner zu hören.* – »Nein, ein Hund, der mich wild leckte (?) . . .« – *Im langsamen Nach-vorn-Schreiten:* ». . . und mich koste . . .« – *Im Näherkommen sich verbessernd:* ». . . der mich kostete . . .« – ». . . kostete das weiche Innere . . . einer Haselnuß (?) . . .« – *Vorn an der Rampe, beschwingt summend, mit geneigtem Kopf:* ». . . kostete mich eine Handbewegung . . .« – »Ein Vermögen gekostet«, *hört man darauf eine Figur sagen, die gerade an der Dame mit dem Fächer vorbeigeht, und den Partner der Dame glaubt man noch sagen zu hören – man sieht eigentlich gar nicht, wer spricht –, während die beiden sich in den Hintergrund der Bühne entfernen:* ». . . Hasenfuß . . . eingerostet . . . Eichenlaub mit Schwertern (?) . . . Weichteile verdreckt (??) . . . zu Ostern Wasserleichen gefickt (???)«, *während rundherum auf der Bühne, nur leiser, viele andere Figuren plaudern und lächelnd umhergehen.*

Dann erzählen sie: »›Kalt‹, sagte er, ›kalt, ganz kalt.‹« – »›Eis‹, wie sie dann zu sagen pflegte.« – »›Wie ein Blick aus einem Bungalowfenster in Nebraska‹, wurde uns erzählt.« – »›Wo der Zug im Schnee stecken blieb‹, schrieb sie mir zurück.« – »›Unbeschreiblich weiß!‹ rief sie aus.« – »›Nein!‹ brüllte er.« – »›Heiß, ganz heiß!‹ quiekte sie wie am Spieß.« – »Er kabelte: ›Im brusthohen Schnee, wo man die beiden, inzwischen schneeblind geworden, mit Lawinenhunden umstellte…‹« – »Und ich antwortete: ›Und was sind S i e ?‹« – »›Kaltgestellt‹, verstand ich noch, dann war die Leitung tot.« – »›Eine Maus?‹ konnte ich mir nicht verkneifen zu fragen.« – »›Für Silvester im Kühlschrank!‹ schrieb er mit vier Worten, obwohl die Briefmarke noch ein fünftes zuließ.« – »Auf dem Zettel stand in gotischer Schrift: ›Totgeburt…‹« – »›Den Eispickel schon im Kopf‹, las ich, ›biß er seinen Mörder noch in die Hand!‹« – *Jemand macht dann schlecht einen Todeslaut nach, ein ersticktes, kurzes Gaumengeräusch, »Kch-«, und seine Partnerin lacht quecksilbrig auf.*

Eine kurze Zeit lang hört man die Figuren in ihren Sätzen jeweils ein Wort überhaupt weglassen und sieht sie dabei einander beziehungsvoll und mitwisserisch anschauen: »Sie erinnern sich, wie der… *(Schmunzeln und Nicken)* mit seinem Hund einsame Spaziergänge unternahm?« – »Ich brauche Ihnen nicht zu sagen, daß… anders darüber gedacht hätte.« – »Sehr oft dachte ich an…, wenn ich in meinem Strandkorb saß!« – »Wenn im Radio… angesagt wird, lasse ich alles liegen und stehen.« – »Noch tagelang, nachdem… mir die Hand gedrückt hatte, zitterte ich am ganzen Körper.« – »Ich kann nicht

48

vergessen, wie ... an den Hosenträgern hinter der Hotelzimmertür hing.« – »Unausdenkbar, daß ... ohne Regenschirm auf die Straße gegangen wäre.« – »Was wäre anders gekommen, wenn ... damals die Bauchwelle geschafft hätte?« – »Nicht nur, wenn ich am Pußtabrunnen saß, mußte ich weinen über das, was mir ... über den Tod gesagt hatte.« – »Oft zerbreche ich mir den Kopf darüber, ob Paraguay für ... das richtige ist.« – »Meist genügt schon der Blick eines dunkeläugigen Fremden in einem indonesischen Restaurant, und ich kann nicht mehr atmen, sehe nur noch *(empörte Erinnerung)* ... vor mir, wie er hinter der Säule plötzlich auf *(trauernde Erinnerung)* ... zutrat.«

Oder sie gebrauchen ein falsches Wort für das richtige, in der Annahme, daß sie einander schon richtig verstehen: »Man sollte sie zusammentreiben und dann – ›mit Speise und Trank bewirten‹!« *(Schmunzeln und leises Lachen)* – »Nachsetzen und – ›auf die Schulter klopfen‹!« – »... schlug ihm eine Bierflasche – ›zur Versöhnung vor‹!« – »... weil bei ihm – ›die Zeitung‹ – ›aus dem Türschlitz‹ hing.« – »... wo sie auf mich zukam und mir sagte, daß ich sie – ›besuchen‹ könnte.« – »... brauchte ihn nur – ›anzulächeln‹, und schon rann ihm das Blut aus der Nase.« – »... griff ihm zwischen die Beine, um ihm – ›auf die Sprünge zu helfen‹.« – »Das Gebiß fiel ihm aus dem Mund, kaum, daß ich ein – ›einziges Wort gesagt hatte‹.« – »Das – ›bißchen Luftzug‹, als wir aus dem Raum traten, genügte, daß er sich eine tödliche Erkältung holte.« – *Oben auf der Plattform* – ›küßte ich ihn auf den Haaransatz‹, so daß er plötzlich das Gleichgewicht verlor.« – »Trieb ich ihn – ›trieb ich ihm die Sorgen aus‹.« – »In den Keilriemen geraten und – ›aufgewacht‹!« – ». . . schickte ich ihm eingeschrieben eine – ›Aufmerksamkeit‹, und er bedankte sich, indem er tot umfiel.« – »Er zielte auf – ›Fortschritt und Veränderung‹!« – ». . . versuchte ich, ihr den – ›Keks‹ in den Mund zu stecken!« – »Über den Stacheldraht – ›ins weiche Moos der Lüneburger Heide‹!« – »Schneiden Sie ihm – ›ein Stück Brot‹ ab!« – ». . . werde ihr eine Messerspitze – ›Zimt‹ zu – ›kosten‹ geben!« – ». . . damit diese Hunde sie reis(s)en – ›lassen‹.« – ». . . zur Erhaltung des Volks-›eigen‹tums!« – »Alles ver-›lobt‹ und ver-›heiratet‹!« – *Ernst:* »Tot- . . . *(langsam lächelnd)* . . . ›al‹ . . .«

Dann wird einmal von einer Figur im Hintergrund leise ein Witz erzählt, von dem man wieder nur Stichworte, wie »darauf sagte«, »beim zweiten Mal«, »wieder nichts!« *hört, dabei aber die Figuren, bis auf zwei oder drei und die Leibwächter, alle um die witzeerzählende Figur versammelt sieht, wie sie still zuhören, schließlich auf verschiedene Weise, still in sich hineinlächelnd, laut aufschreiend, verblüfft den Kopf schüttelnd, laut die Luft einziehend, auf den Witz reagieren (einer vielleicht auch verspätet) und dann nach und nach ihre Kreise wieder fortsetzen.*

Allmählich hat man aus dem Geplauder auch immer häufiger Sätze herausgehört, die jeweils mitten

im Reden eine Figur mit ein wenig erhobener, wenn
auch nicht aufgeregter Stimme spricht: Sätze aus dem
Repertoire, das Politiker für Zwischenrufer bereit
haben und das also beliebig auf Zwischenrufe aus
dem Publikum anwendbar ist, aber auch angewendet
wird, wenn es keine Zwischenrufe gibt. Zum Bei-
spiel: »Wer schreit, zeigt, daß er nichts zu sagen hat«;
»Was sie nicht im Kopf haben, haben sie im Kehl-
kopf«; »Man hat ihnen nicht beigebracht, andere
Leute ausreden zu lassen«; »Beim Anblick dieser Ty-
pen juckt es einen permanent in den Fingern«; »Und
ich nehme kein Jota zurück«; »Was wir wirtschaft-
lich aufgebaut haben, das gibt uns das Recht, zu ver-
langen, daß über die Vergangenheit nicht mehr geredet wird«; »Sie beweisen, daß die Betätigung ihrer
entzückenden Hände ein Ersatz ist für die Fähigkeit,
politisch zu denken«; »Ach, die Dame ist ein Herr«;
»Welchem Lebenskreis gehören die eigentlich an?«;
»Die wollen mit ihren Höhlenmenschengefühlen und
mit ihrem Steinzeitgelächter den Stil unserer Auseinandersetzung um Tausende von Jahren zurückwer-
fen«; »Sie merken nicht, daß sie nur nützliche Idio-
ten sind«; »Schmutzige Fingernägel allein sind kein
Beweis dafür, daß man im Recht ist«; »Nun sehen
Sie sich einmal die Gesichter an, so sehen die alle aus«;
»Sind wir in einem Negerkral?«; »Ich sage nur: China, China, China!«; »Es gibt nur eine Waffe gegen
den Radikalismus: den Stimmzettel«; »Dann müssen sie eben aus unserer Mitte ausscheiden«; »Aber
das ist eben eine ganz andere Welt, die wir nicht verstehen«; »Die sollen sich zuerst einmal von dem Ein-

marsch in die Tschechoslowakei distanzieren!«; »Wir
stehen unter dem eisernen Gesetz der Geschichte!«;
und was es an dergleichen feststehenden, für jeden
Zweck brauchbaren Wendungen noch gibt, ohne daß
die Figuren diese Sätze freilich übertreiben oder aus-
spielen oder gar direkt ans Publikum oder jemanden
im Publikum richten. Sie sprechen sie eher wie bei-
seite, im Selbstgespräch, ruhig und endgültig, wäh-
rend sie in ihrer ungeheuer bösartigen und traurigen
Abgeschiedenheit und Entfernung dort oben auf der
Bühne umhergehen. Wenn jemand das nicht erkennt
und zu ihnen auf die Bühne kommen will, führen ihn
die Leibwächter sanft und ohne ihm weh zu tun von
der Bühne herunter. Ihn dort oben zu lassen wäre
nur eine Verhöhnung.

Während alle Figuren sich mehr und mehr mit sich
selber beschäftigen, indem sie sich über Stirn, Wangen
und Lippen streichen, sich die Haare betasten, an den
Fingergelenken ziehen, Wollfussel von den Gewän-
dern entfernen, sich Oberarme, Nacken, Hals und
Bauch streicheln, stehenbleiben und sich am Ohrläpp-
chen zupfen, hört man auch ab und zu Bruchstücke
von Selbstgesprächen, die immer wieder abbrechen
oder unhörbar werden, als ob sie sich ihrer schäm-
ten: »...entschloß ich mich, der Gesellschaft als Stil-
ler Teilhaber beizutreten...« – »...letzte Nacht
träumte ich von Südtirol...« – »...sah ich im aus-
verkauften Stadion im Traum sich die Gesichter der
Zuschauer verfärben...« – »...schlang ich mir die
Boa um den Hals und zwinkerte ihm zu wie Mar-

lene...« – »...erblickte ich eine traumhaft stille Landschaft wie einen durchsichtigen Schmetterlingsflügel...« – »...und behielt ich mir weitere Maßnahmen vor...« – »...wo ich damals im Traum von einem Holzstapel rutschte...« *(Eine Dame hebt langsam das Kleid, unter dem sie ganz nackt ist, und läßt es rasch wieder fallen.)* – »................ ....und i c h hörte in der Küche die Säuglingsschwester seufzen...« – *Wie in Erinnerung schütteln ein paar nacheinander langsam den Kopf und gehen dann weiter. Und schon im Weitergehen hört man von einem:* »...sah ich im Halbschlaf z w e i Erhängte in e i n e r Schlinge hängen...«

Einige Zeit lang, so lange, bis jedenfalls die Zuschauer zuschauen und zuhören, schreiten so die Figuren leise auf der Bühne umher, und in dem gedämpften Licht blitzen ab und zu die Schnallen an ihren Gürteln, ihre Kragenspiegel, die Spangen an ihren Schuhen, ihre Halsketten, Broschen und Ringe auf. Dann, während nach und nach das Geplauder abnimmt, weil immer mehr Figuren zu reden aufhören, hört man noch einen sagen: »Wie, Sie wollen sie, wenn die Schmerzen unerträglich werden, abspritzen wie Tiere?« *und einen andern antworten:* »Ja, soll es denn den Menschen schlechter gehen als den Tieren?«, *und ein wenig später einen andern:* »Aber ich habe doch Frauen und Kinder beiseite führen lassen, damit sie es nicht mitansehen mußten«, *und ein wenig später noch einen:* »Ja, wenn ich ihm ein Gerichtsverfahren gegeben hätte, hätte er sich am

Ende gar herausreden können«, *und darauf, nachdem das Geplauder der andern, die langsam umhergehen, sich noch mehr gedämpft hat – jetzt erst sieht man, wie geschminkt sie sind –, sagt die Dame mit dem Fächer leise, aber deutlich:* »Und bevor er mich angefaßt hat, bin ich ganz feucht geworden«, *und die beiden Leibwächter, die ziemlich voneinander entfernt stehen, tauschen obszöne Zeichen aus, indem der eine den Daumen zwischen Zeige- und Mittelfinger durch die geballte Faust steckt und der andre als Antwort sofort die eine Faust in schnellem Rhythmus senkrecht auf die andre Faust schlägt, und von der Dame mit dem Hündchen hört man, schon wie in Erinnerung, ein schönes langgezogenes* »Ah . . .«, *und dabei wird es allmählich dunkel auf der Bühne, und·der Vorhang geht zu.*

Der Ritt über den Bodensee

EINE FRAU MIT WEISSEM KOPFTUCH

EMIL JANNINGS

HEINRICH GEORGE

ELISABETH BERGNER

ERICH VON STROHEIM

HENNY PORTEN

ALICE UND ELLEN KESSLER

EINE PUPPE

Für die *Lektüre,* unter anderm, um Rollentitel wie
»Schauspieler A«, »Schauspieler B«, »Schauspielerin
C« usw. zu vermeiden, sind die Personen mit bekann-
ten Schauspielernamen bezeichnet.

Für die *Aufführung* des Stücks sollten die Personen
des Stücks nur mit dem jeweiligen Namen der Schauspieler benannt werden: die Personen sind zugleich
ihre Darsteller.

Der letzte Gedanke an Kaspar *wurde der erste Gedanke zu* Der Ritt über den Bodensee: *die in dieser Gesellschaft vorherrschenden menschlichen Umgangsformen darzustellen durch genaues Beobachten 1) der anscheinend im freien Spiel der Kräfte formlos funktionierenden täglichen Lebensäußerungen bei Liebe, Arbeit, Kauf und Verkauf, und 2) ihrer üblichen Darstellungsformen im Theater, die, mochten sie dieses freie Spiel der Kräfte in den täglichen Lebensäußerungen auch als »falsche Natur«, »ausbeuterisch« usw. angreifen, selber doch ebenso ausbeuterisch und formlos nach demselben freien Spiel der Kräfte, den jeweiligen Marktbedürfnissen und Marktgewohnheiten, dem Gesetz von Angebot und Nachfrage funktionierten, wie die in ihnen scheinbar dargestellten Lebensäußerungen.*

Erste Versuche, diese Beobachtungen festzuhalten, waren dann die Stücke Das Mündel will Vormund sein *und* Quodlibet, *in denen Theaterformen so von den sie sonst unkenntlich machenden Geschichten isoliert erschienen, daß die Formen zu POSEN wurden und identisch werden konnten mit Posen im täglichen Leben: die Darstellung der Theaterposen war unter anderm ein Versuch, auch die täglichen Umgangsformen als Posen vorzuführen.*

Dann ist die Zeit vergangen, und, noch mehr als die andern Stücke, ist »Der Ritt über den Bodensee« *ganz anders geworden als die Vorstellung davon, obwohl keine Einzelheit ohne diese Vorstellung denkbar wäre. Nichts mehr sollte bewiesen werden. Beweise haben dann auch in dem Stück die Form der*

Farce, die Leiden an nicht aufgehenden Beweisen und Deutungen die Form einer oft gespielten Tragödie, die Freude, von Deutungen und Beweispflichten frei zu sein, die Form eines utopischen Lustspiels. Was am Anfang klar war oder sich jedenfalls so darstellte, ist im Verlauf des Stückes, von Satz zu Satz, von Geste zu Geste unklarer geworden, aber es ist versucht worden, das mit jedem Satz und jeder Geste so klar und grob wie möglich zu machen.

Vor einem halben Jahr ist das Stück geschrieben worden. Heute habe ich am Bahnhof mit dem Kind Fotos gemacht. Als die Fotos noch naß aus dem Automaten kamen, hat das Kind sich auf einem Foto das eigene Gesicht verschrammt, und sofort habe ich das als ein schlechtes Zeichen gedeutet. Dann sind wir an einem abgelegenen Nebeneingang durch die Sperre gegangen, und als der Beamte, nur um die Fahrkarte zu lochen, von seinem Sitz aufgestanden ist, habe ich das gedeutet, er habe so wenig zu tun, daß er aufsteht, wenn er einmal etwas zu tun hat. Heute morgen habe ich die Milch in einem andern Geschäft als dem üblichen gekauft und mich dann dabei ertappt, daß ich mit der Milch an dem üblichen Geschäft schneller vorbeigehen wollte, und als ich zuhause die Schuhe putzen wollte, war keine Schuhcreme da, und ich merkte, daß ich jemand andern zur Rede stellen wollte, weil es dessen Sache sei, dafür zu sorgen, daß Schuhcreme da ist.

Der Ritt über den Bodensee *ist weder Tragödie noch Farce noch Lehrstück noch Lustspiel noch Volksstück, es ist Darstellung der gesellschaftlichen Entsprechun-*

gen dieser Theaterformen, verdeutlicht und undeut-
lich gemacht durch die Verletzlichkeit, Schmerzlich-
keit, Grobheit und Unbekümmertheit der Personen,
die die Akteure des Stücks sind, das wiederum ihr
Akteur ist.

»Träumt Ihr oder redet Ihr?«

Die Bühne ist groß. Sie zeigt einen Teil eines noch größeren Raums. Der Hintergrund wird durch die Hinterwand dieses Raums gebildet; sie ist mit braun-grünen, in sich gemusterten Tapeten verkleidet. An der Hinterwand entlang führen von links und rechts zwei Arme einer Treppe herab, die sich in der Mitte der Wand zu einem einzigen breiten Arm treffen, welcher in einigen Stufen nach vorn in den Raum hinein führt; Personen, die auf der Treppe gehen, zeigen sich den Zuschauern also zuerst im Profil, dann von vorn. Unter den beiden Treppenarmen befinden sich links und rechts in der Wand, fast unsichtbar, zwei TAPETENTÜREN. Die Treppe wird begrenzt von einem fein geschwungenen, schmalen Geländer. Der Boden des Raums wird bedeckt durch einen unauffälligen Teppich, der zu der Farbe der Tapeten paßt. Die Treppenstufen herab führt ein weinroter Läufer.

Was von der Einrichtung des Raums sichtbar ist, ist zum großen Teil verhüllt mit Schonbezügen; die Schonbezüge sind SEHR WEISS. In der Mitte des Raums, freilich nicht genau in der Mitte, fast schon im Vordergrund der Bühne, steht ein großer dunkler Tisch, zum Teil mit einem Spitzentischtuch bedeckt; darauf Aschenbecher, eine Zigarrenkiste, eine Tee- oder Kaffeekanne unter einer bestickten Warmhalte-haube, eine längliche, ebenfalls bestickte Bestecktasche, zwei Leuchter, auf die Schutzüberzüge gestülpt sind. Rechts und links vom Tisch und hinter dem Tisch stehen drei Fauteuils, über die weiße Schonbezüge gebreitet sind; daneben und dahinter ein Sessel und ein Stuhl; über allem die weißen Schonbezüge. Vor einem der Fauteuils steht ein ebensohoher, ebenso gepolsterter Schemel, der als Fußauflage dienen kann; vor dem zweiten Fauteuil steht ein kleinerer Fußschemel; der dritte Fauteuil steht allein.

Rechts vom Tisch, schon einige Schritte entfernt, steht, unverhüllt, ein Getränkewagen, auf dem einige Flaschen stehen, deren Form den jeweiligen Inhalt anzeigt.

Links vom Tisch, einige Schritte entfernt, steht, ebenfalls unverhüllt, ein Zeitungstisch mit einigen dicken, zum Teil gebundenen Zeitschriften; obenauf ein Plattenspieler; eine Platte liegt darauf.

Wenn man weiter nach links und nach rechts schaut, hinter Zeitungstisch einerseits, Getränketisch andrerseits, sieht man zwei Sofas stehen, ebenfalls von weißen Schonbezügen verdeckt. Links vom linken Sofa steht, unverhüllt, eine braun gebeizte Kommode mit mehreren Fächern; darauf eine kleine Statue, über die ein weißer Papiersack gestülpt ist. Rechts am rechten Sofa lehnt eine Gitarre, die in einem ähnlich wie die Warmhaltehaube bestickten Sack steckt.

Unter den beiden Treppenarmen hängen an der Wand zwei Bilder; sie sind hinter weißen Tüchern versteckt.

Im Vordergrund der Bühne, ganz rechts, auf der Höhe des Tisches, steht eine spanische Wand, wie man sie sonst vor Betten aufstellt; sie ist klein, hat drei Flügel. Zwei ihrer Flügel sind ein wenig zusammengeschoben, der dritte Flügel schaut in den Zuschauerraum. Die Wand ist ebenfalls in sich gemustert, in der gleichen Farbe wie die Tapetenwand im Hintergrund.

Alle Gegenstände stehen so sehr auf ihrem Platz, daß es schwer vorstellbar ist, sie woanders stehen zu sehen; sie könnten es nicht einmal ertragen, auch nur ein bißchen verrückt zu werden. Alles ist wie eingerastet, nicht nur die Gegenstände, sondern auch die Abstände und Zwischenräume.

Das Licht ist ein Morgenlicht.

Als der Vorhang aufgegangen ist, hat er links und rechts an den Bühnenportalen zwei Portieren freigegeben, wie Portieren zu einem Chambre séparée.

Eine Frau, deren Haare unter ein weißes Kopftuch gebunden sind, bewegt sich mit einem großen Staubsauger schnell, aber nicht hastig zwischen den Gegenständen. Das Gesicht der Frau ist schwarz übermalt. Der Staubsauger, der mit der ersten Bewegung des aufgehenden Vorhangs eingeschaltet wurde, ist ziemlich gleichmäßig laut.

Am Tisch, in dem Fauteuil, die Beine auf dem dazugehörigen gepolsterten Schemel, sitzt mit geschlossenen Augen EMIL JANNINGS. Er ist ziemlich dick. Seine Stiefel stehen neben dem Schemel. Er trägt rote Seidensocken, eine schwarze Hose, ein helles Hemd, das am Kragen offen ist. Er sieht kostümiert aus, obwohl nur Anzeichen eines Kostüms zu sehen sind: ziemlich lange Rüschen an den Ärmeln des Seidenhemds, eine weinrote Seidenschärpe um den Bauch.

Er ist stark geschminkt, die Augenbrauen sind

nachgezogen. An der rechten Hand, deren Nägel schwarz lackiert sind, trägt er mehrere große Ringe.

Seit dem Aufgehen des Vorhangs hat er sich nicht bewegt, und die Frau ist auch schon fast fertig mit ihrer Arbeit. Während sie jetzt noch mit einer Hand den Staubsauger neben dem Zeitungstisch hin und her bewegt, schaltet sie nebenbei mit der andern Hand den Plattenspieler ein.

Man hört aber nichts als kleine Geräusche, der Staubsauger ist zu laut.

Sie geht mit ihm auf die hintere Wand zu, schaltet ihn jetzt ab, so daß die Musik hörbar wird: »The Garden Is Open« von T. Kupferberg.

Sie zieht die Schnur aus dem Stecker, wickelt sie auf den Apparat und stellt ihn hinter die Tapetentür.

Während nun die Platte weiterspielt, geht sie von Gegenstand zu Gegenstand und zieht die Schonbezüge ab; nur die Schutzbezüge über den Bildern und der Statue läßt sie dort.

Obwohl sie sich langsam bewegt, arbeitet sie schnell. Zuletzt, so daß man es kaum sieht, zieht sie mit einer einzigen leichten Bewegung den Schonbezug unter Emil Jannings weg und geht, während die Platte immer noch läuft, links ab.

Dann bewegt sich eine Zeitlang nichts auf der Bühne, nur die Platte dreht sich.

Der Plattenspieler schaltet sich aus, und nach einem Augenblick öffnet Emil Jannings langsam die Augen.

Mit brüchiger Stimme sagt er: »Wie gesagt —«

Er räuspert sich einmal und wiederholt mit fester Stimme:

»Wie gesagt.« Pause. »Ein schlimmer Moment.«

Jemand hinter dem Wandschirm mit brüchiger Stimme: »Warum?« Er räuspert sich zweimal, tritt beim zweiten Mal hinter dem Wandschirm hervor, wiederholt dann mit fester Stimme: »Warum?«

Es ist HEINRICH GEORGE, ziemlich dick, ebenfalls andeutungsweise kostümiert, mit bortenbesetzter Jacke und Schnürschuhen.

Er steht da.

»Schon vorbei«, sagt Emil Jannings, der den Kopf ein wenig abgewendet hat.

Heinrich George macht einen Schritt auf Emil Jannings zu und knickt ein.

»Der Fuß ist mir eingeschlafen«, sagt er, während er sich langsam wieder aufrichtet.

Emil Jannings greift nach der Zigarrenkiste. Er hebt sie auf, kann sie aber nicht halten, so daß sie zu Boden fällt.

»Und mir die Hand.«

Heinrich George geht vorsichtig auf Jannings zu, bleibt neben ihm stehen.

Beide werfen einander einen ersten Blick zu, schauen dann wieder weg.

George lehnt sich an die Tischkante, setzt sich jetzt darauf.

Die Zigarrenkiste liegt zwischen beiden auf dem Boden. Beide schauen sie an.

Jannings wendet den Kopf zu George.

George rutscht wieder vom Tisch.

Jannings zeigt auf die Zigarrenkiste.

George mißversteht die Geste und schaut, als ob es an der Zigarrenkiste etwas zu sehen gäbe.

Jannings geht auf das Versehen ein und zeigt nun, als wollte er wirklich auf etwas zeigen:

»Diesen blauen Himmel, den Sie da auf dem Etikett sehen, mein Lieber, den gibt es dort wirklich!«

George bückt sich nach der Zigarrenkiste, nimmt sie, schaut darauf:

»Sie haben recht!«

Er legt die Kiste auf den Boden zurück und richtet sich auf.

Jannings: »Sie stehen –«

George unterbricht ihn: »Ich kann mich auch setzen!«

Er setzt sich in den Fauteuil mit dem kleineren Fußschemel und macht es sich bequem:

»Was wollten Sie sagen?«

Jannings: »›Sie stehen gerade: darf ich Sie bitten, mir die Zigarrenkiste vom Boden zu reichen?‹!«

Pause.

George: »Sie haben geträumt?«

Jannings: »Als die Nächte besonders lang waren.«

George: »Sie müssen träumen.«

Jannings: »Einmal, an einem Winterabend, saß ich mit jemandem in einer Gaststätte. Es war Abend, wie gesagt, wir saßen am Fenster und unterhielten uns über eine Leiche. Es handelte sich um einen Selbstmörder, der in den Fluß gesprungen war. Draußen regnete es, wir hielten die Speisekarten in den Händen. ›Schauen Sie nicht nach rechts!‹ (George

66

hat schnell nach links, dann nach rechts geschaut) rief plötzlich mein Gegenüber. Ich schaute nach rechts: aber da lag keine Leiche, Außerdem hatte mein Freund gemeint, ich sollte auf der Speisekarte nicht nach rechts schauen, weil dort die Preise stehen.« Pause. »Wie finden Sie die Geschichte?«

George: »Es war also nur eine Geschichte?«

Pause.

Jannings: »Wenn man es erzählt, kommt es einem selber so vor.«

George: »Wie eine Geschichte?«

Jannings nickt. Pause. Dann schüttelt er langsam den Kopf.

George: »Also doch nicht? Stimmt es also, was Sie mir erzählt haben?«

Jannings: »Ich wundere mich nur.«

Pause.

George: »Und wie ging es weiter?«

Jannings: »Wir haben flambierte Nieren bestellt.«

George: »Und bekommen?«

Jannings: »Natürlich.«

George: »Und die Rechnung verlangt und bekommen?«

Jannings: »Selbstverständlich.«

George: »Und die Mäntel verlangt und bekommen?«

Jannings: »Warum die Mäntel?«

George: »Weil es ein Winterabend war.«

Jannings erleichtert: »Natürlich.«

George: »Und dann?«

Jannings: »Sind wir nach Hause gegangen.«

Sie lachen beide erleichtert auf.

Pause.

George: »Nur eines verstehe ich nicht: welche Bedeutung hatte der Winterabend für die Geschichte? Meiner Ansicht nach war es überflüssig, ihn zu erwähnen.«

Jannings schließt die Augen und überlegt.

George: »Schlafen Sie?«

Jannings öffnet die Augen: »Ja, das war es! Sie fragten mich, ob ich träume, und ich erzählte Ihnen von dem langen Schlaf in den Winternächten, in denen ich gegen Morgen zu träumen anfange, und als Beispiel wollte ich Ihnen einen Traum erzählen, der an einem Winterabend spielen könnte.«

George: »Spielen könnte?«

Jannings: »Ich habe den Traum erfunden. Er war nur ein Beispiel, wie gesagt. Was einem durch den Kopf geht ... Wie gesagt – eine Geschichte ...«

George: »Aber die flambierten Nieren?«

Jannings: »Haben Sie jemals flambierte Nieren gegessen?«

George: »Nein. Jedenfalls nicht daß ich wüßte.«

Jannings: »Wenn Sie es nicht wissen, dann haben Sie sie auch nicht gegessen.«

George: »Nein.«

Jannings: »Sie widersprechen mir?«

George: »Ja. Das heißt: nein. Das heißt: ja, ich stimme Ihnen zu.«

Jannings: »Sie sprechen also, wenn Sie von flambierten Nieren sprechen, von etwas, das Sie nicht kennen?«

George: »Das wollte ich sagen.«

Jannings: »Und von etwas, das man nicht kennt, sollte man nicht sprechen, ist es nicht so?«

George: »Allerdings.«

Jannings macht eine entsprechende Handbewegung, wobei er die Handfläche nach oben kehrt.

George starrt darauf, und in der Meinung, er habe etwas daran entdeckt, läßt Jannings die Hand so stehen.

Die Hand sieht nun aus, als warte sie auf etwas, zum Beispiel auf die Zigarrenkiste. Sie wirkt auch nach dem, was gerade gesprochen worden ist, so sehr als eine Aufforderung, daß George sich bückt und Jannings die Kiste in die Hand legt.

Kurze Pause, als ob Jannings etwas anderes erwartet hätte.

Dann nimmt er mit der andern Hand die Kiste und stellt sie sich aufs Knie. Er schaut seine Hand an, die er noch immer ausgestreckt hält.

»Das wollte ich damit nicht sagen«, sagt Jannings, »mir schien es nur, als sei Ihnen an meiner Hand etwas aufgefallen.«

Er klappt mit der andern Hand die Kiste auf und hält sie George hin; der schaut hinein.

»Nehmen Sie!«

George nimmt nun schnell eine Zigarre heraus. Auch Jannings nimmt sich eine Zigarre.

George nimmt Jannings die Kiste ab und stellt sie auf den Tisch zurück.

Jeder gibt sich selber Feuer.

Beide lehnen sich zurück und rauchen.

George: »Ist Ihnen nicht auch etwas aufgefallen?«

Jannings: »Sprechen Sie.«

Pause.

Jannings: »So sprechen Sie, bitte.«

George: »Ist Ihnen nicht auch aufgefallen, wie lächerlich plötzlich alles wurde, als wir von den ›flambierten Nieren‹ sprachen? Nein, nicht plötzlich, vielmehr nach und nach, je öfter wir die flambierten Nieren erwähnten! Flambierte Nieren, flambierte Nieren, flambierte Nieren! Und ist Ihnen aufgefallen, warum die ›flambierten Nieren‹ allmählich alles so haarsträubend lächerlich machten?«

Pause.

Jannings: »Sprechen Sie.«

George: »Weil wir von etwas sprachen, das nicht auch gleichzeitig sichtbar war! Weil wir etwas erwähnten, das nicht auch gleichzeitig da war! Und wissen Sie, wie mir das aufgefallen ist?«

Pause.

Jannings: »Sprechen Sie!«

George: »Als Sie vor zwei Minuten jene Handbewegung machten –«

Jannings unterbricht ihn: »Zwei Minuten sind seitdem vergangen?«

George: »Es kann auch früher gewesen sein. Jedenfalls – was wollte ich sagen?«

Jannings: »Als ich früher jene Handbewegung machte –«

George: »Als Sie jene Handbewegung machten, fielen mir plötzlich die Ringe an Ihrer Hand auf, und ich dachte bei mir: Ah, Ringe! Sieh da, Ringe! Wahrhaftig: Ringe! Und dann sah ich die Ringe wieder, und als das, was ich dachte, und das, was ich sah, so wunderbar zusammentraf, war ich einen Augenblick lang so glücklich, daß ich nicht anders konnte, als Ihnen die Zigarrenkiste in die Hand zu legen. Und da erst fiel mir auf, wie lächerlich ich mir vorgekommen war, all die Zeit von flambierten Nieren zu reden! Ich war gar nicht mehr ich selber, die Haare sträubten sich mir im Nacken, während ich davon sprach! Und erst, als ich die Ringe sah, und: Ah, die Ringe! dachte und dann einen ZWEITEN Blick auf die Ringe warf, kam es mir vor, als sei ich wieder in mich selber eingerenkt worden!«

Jannings: »Und ich meinte, Sie reichten mir die Kiste freiwillig!«

George: »Verstehen Sie mich?«

Jannings: »Menschlich schon.«

George: »Schauen Sie sich um!«

Sie schauen im Raum umher.

George: »›Auto‹!«

Sie stocken ein wenig, schauen weiter im Raum umher.

George: »›Affenschaukel‹!«

Sie stocken, schauen weiter im Raum umher.

George: »›Bluthunde‹!«

Sie schauen im Raum umher, stocken.

George: »›Hungerödeme‹!«

Nur Jannings schaut im Raum umher, stockt.

George: »›Ausklinkknopf‹!«

Jannings schaut schnell zu George: »Sie haben recht, sprechen wir über meine Ringe.«

George: »Über die Ringe gibt es nichts mehr zu reden.«

Jannings schweigt.

George: »Sie sagen mir nichts mehr.«

Jannings: »Ich?«

George: »Die Ringe.«

Jannings: »Und?«

George: (gereizt) »›Und‹ was?«

Jannings: (gereizt) »›Und‹?!« Pause. Die Pause wird immer feindseliger. Beide rauchen. Als sie merken, daß sie zur gleichen Zeit an den Zigarren ziehen, brechen sie ab und halten den Atem an.

Als der eine den Rauch ausstoßen will, sieht er, daß auch der andre gerade den Rauch ausbläst, und stockt; erst dann läßt er den Rauch aus dem Mund.

Plötzlich sagt Jannings sehr freundlich:

»Und wenn es *Ihre* Ringe wären?«

George schaut ihn, plötzlich freundlich, an:

»Aber es sind *Ihre* Ringe!«

Pause. Sie bewegen sich kaum. Die Pause wird immer feindseliger.

George: »Aber es sind *Ihre* Ringe?«

Plötzlich zieht sich Jannings die Ringe vom Finger.

George versteht, beugt sich vor, spreizt die Hand.

Jannings legt die Ringe auf den Tisch.

George schiebt sie geläufig und wie selbstverständlich, fast ohne dabei hinzuschauen, über die Finger.

Er betrachtet die Hand.

»Wie für mich gemacht!« sagt er. Pause. »Als hätten sie immer schon mir gehört!«

Pause.

»Sie *sind* für mich gemacht!« Pause. »Und sie *haben* immer schon mir gehört!«

Er hält die Ringe ins Licht, daß sie FUNKELN. Er streichelt sie und berührt sie einzeln mit den Lippen.

Er spielt: zeigt mit der ringlosen Hand auf etwas, zeigt dann mit der beringten Hand darauf; legt sich die ringlose Hand aufs Herz, legt dann die beringte Hand darauf; winkt jemanden mit einem nackten Finger herbei, dann mit einem beringten; droht jemanden mit dem nackten Finger, dann mit dem beringten.

Er ist in einem Besitzrausch:

»Ich kann mir die Hand ohne Ringe schon gar nicht mehr vorstellen! Ich kann sie mich – ich kann sich mir – sich mich – mich sich – ich kann mir mich: ich kann mich mir ohne Ringe schon gar nicht mehr vorstellen! Können Sie sich mich ohne Ringe vorstellen?«

Jannings antwortet nicht.

George setzt zu einer Rede an:

»Teure Ringe! So wie ihr, die ihr rund seid, keinen Anfang und kein Ende kennt, so kennt auch –«

Er stockt und fängt noch einmal an:

»Und so wie ihr das Licht, das auf euch trifft, verwandelt und selber von dem Licht verwandelt werdet, so verwandelt auch –«

Er stockt.

Pause.

»Jedenfalls – ihr reizt mich zum Vergleichen. Seitdem ich euch besitze, bedeutet ihr etwas für mich.«

Pause. »Ringe an allen Fingern zu tragen — was bedeutet das? Reichtum? Früher Tod? Vorsicht beim Klettern auf Leitern? Schwierigkeiten im Beruf? Achtung, Lebensgefahr!?« Pause.

Jannings: »Ich habe noch nie von Ringen geträumt.«

George: »Weil Sie nie welche besaßen.«

Pause.

Jannings: »Im Gegenteil: weil ich welche besaß.«

Pause.

Jannings: »Und sie reizen mich auch nie zum Vergleichen.«

George: »Weil sie Ihnen nicht genügten.«

Pause.

Jannings: »Im Gegenteil: weil sie mir genügten.«

Pause.

George: »So wie es –«

Jannings: »Schon wieder ›so – wie‹?«

George: »Warten Sie ab!«

Er setzt noch einmal an:

»So wie es geborene Versager, geborene Störenfriede und geborene Verbrecher gibt –«

Jannings: »Wer sagt, daß es sie gibt?«

George: »Ich!«

Jannings: »Das beweist nichts.«

Pause.

George: »Haben Sie noch nie von einem ›geborenen Versager‹ reden hören?«

Jannings: »Schon oft.«

George: »Und haben Sie schon den Ausdruck ›geborener Störenfried‹ gehört?«

Jannings: »Allerdings.«

George: » Und den Ausdruck ›geborener Verbrecher‹?«

Jannings: »Freilich.«

George: »Aber den Ausdruck ›eine krabbelnde Schlange‹ – den haben Sie schon öfter gehört?«

Jannings: »Noch nie.«

George: »Und haben Sie jemals von einem ›feurigen Eskimo‹ gehört?«

Jannings: »Nicht daß ich wüßte.«

George: »Wenn Sie es nicht wissen, dann haben Sie auch nicht davon gehört. Aber den Ausdruck ›ein fliegendes Schiff‹ – den haben Sie gehört?«

Jannings: »Höchstens im Märchen.«

George: »Aber es *gibt* krabbelnde Schlangen?«

Jannings: »Selbstverständlich nicht.«

George: »Aber feurige Eskimos – die gibt es?«

Jannings: »Ich kann es mir nicht vorstellen.«

George: »Aber fliegende Schiffe gibt es?«

Jannings: »Höchstens im Traum.«

George: »In Wirklichkeit nicht?«

Jannings: »Nicht in Wirklichkeit.«

Pause.

George: »Aber geborene Versager?«

Jannings: »Die gibt es demnach.«

George: »Und geborene Störenfriede?«

Jannings: »Es gibt sie.«

George: »Und es gibt demnach geborene Verbrecher?«

Jannings: »Logisch.«

George: »Wie ich also damals sagen wollte –«

Jannings unterbricht ihn: »›Damals‹? So lang ist das schon her?«

George stockt.

Er wundert sich: »Ja, seltsam!«

Dann fährt er schnell fort: »So wie es also geborene Versager, geborene Störenfriede und geborene Verbrecher gibt, so gibt es auch (er spreizt die Hand) geborene Besitzer. Die meisten, sobald sie etwas haben, sind nicht mehr sie selber. Sie geraten aus dem Lot und werden lächerlich. Sich selber fremd, fangen sie zu schielen an. Bettnässer, die morgens neben ihrem Bett stehen. (Das Bett steht für ihren Besitz. Oder für ihre Scham?)« Kurze Verwirrung. Dann spricht er sofort weiter: »Ich dagegen bin ein geborener Besitzer: erst wenn ich etwas habe, werde ich ich selber –«

Jannings unterbricht ihn: »›Geborener Besitzer‹? Den Ausdruck habe ich noch nicht gehört.« Pause.

George (plötzlich): »›Das Leben ist ein Spiel‹ – das haben Sie doch wohl schon sagen hören?«

Jannings antwortet nicht. Er wartet.

George: »Und in einem Spiel gibt es Sieger und Verlierer, nicht wahr?«

Jannings antwortet nicht.

George: »Und die nichts haben können, das sind die Verlierer, und die alles haben können, das sind die Sieger, nicht wahr?«

Jannings antwortet nicht, beugt sich nur vor, öffnet den Mund, aber nicht zum Reden.

George: »Und kennen Sie den Ausdruck ›geborener Sieger‹?«

Schweigen.

Plötzlich fangen beide mit einem Aufschrei zu lachen an und klatschen einander heftig auf die Schenkel.

Noch während sie dabei sind, ERSCHEINT links oben auf der Treppe eine Frau.

Sie ist schön.

Sie trägt ein langes Kleid, in dem sie sich so bewegt, daß es eher sie zu tragen scheint.

Sie ist lautlos erschienen und einige Stufen heruntergegangen.

In der Mitte des Treppenarms bleibt sie stehen, legt die Hand auf die Brüstung und wendet ein wenig den Kopf: ELISABETH BERGNER.

Ihre Hände sind leer, ohne Tasche.

Sie betrachtet mit gesenkten Lidern die seltsame Szene unter sich: Jannings und George ziehen einander gerade an den Ohren und tätscheln einander die Wangen.

Sie bewegt sich einige Schritte weiter herunter und bleibt, jetzt mit dem Gesicht nach vorn, auf dem breiten mittleren Treppenabsatz stehen.

Mit gesenkten Lidern scheint sie die beiden unter sich zu betrachten: Jannings zeigt George gerade den flachen Handrücken; George antwortet, indem er mit Daumen und Zeigefinger einen Kreis bildet und sich die Hand so vors Gesicht hält; und Jannings erwidert das Zeichen, indem er beide Hände über den Kopf hält, das eine Handgelenk locker mit Daumen und Zeigefinger der andern Hand umklammert und die umklammerte Hand so um sich selber kreisen läßt,

worauf sie beide wieder mit einem Aufschrei zu
lachen beginnen und einander unter Ausrufen wie
»Genau!« und »Erraten!« von neuem auf die Schenkel klopfen.

Dann wird einer der beiden langsam ruhig, während ihm der andre noch immer auf die Schenkel
schlägt.

Inzwischen sind oben auf dem rechten Treppen-
arm zwei andere Personen erschienen, die gleich stehengeblieben sind und die seltsame Szene zu ihren
Füßen betrachtet haben: ein Mann und eine Frau.

Wenn man weiß, daß sie es sind, kann man sie erkennen: ERICH VON STROHEIM und HENNY PORTEN.

Er ist stattlich, trägt einen roten Morgenrock über
grauer Weste und Hose, als einzige Andeutung eines
Kostüms.

Sie trägt ein Abendkleid mit einer samtenen Stola.

Als sie erschienen sind, hat Henny Porten gerade
laut ihre Handtasche zugeklappt, und Stroheim hat
zuerst ihr den Reißverschluß hinten am Kleid hin-
aufgezogen und dann sich den Kragenknopf geschlossen (»Wie gesagt –«).

Es wird aber jetzt unklar, wie sie zusammengehö-
ren; sie stehen zwei Stufen getrennt voneinander.

Das Geräusch der Handtasche hat auch den einen
der beiden unten langsam still werden lassen.

»Schauen Sie sich nicht um!« sagt er zum andern.

Der andre schaut sich sofort um und sieht die drei
Personen auf der Treppe stehen.

»Keine Leiche«, sagt er zum andern. »Sie können
sich ruhig umschauen: alle leben.«

Der andre schaut sich um; dann reibt er sich heftig die Augen.

»Glauben Sie mir nicht?« fragt der erste.

»Ich war nur nicht auf ein solch helles Licht gefaßt«, antwortet er. »Ich wußte nicht, daß es schon so spät ist. Vor lauter Reden haben wir die Zeit vergessen!«

»Wir?« fragt der erste sofort.

»Ich«, antwortet der andre.

Pause.

»Ja, ich auch«, sagt der erste.

Henny Porten wiegt sich auf dem Treppenabsatz hin und her, spielt mit der Stola; sonst sind alle ziemlich still.

Henny Porten geht langsam weiter die Treppe hinunter, streift Stroheim mit der Stola, weicht dann übertrieben weit aus.

Stroheim überholt sie schnell, bleibt mit dem Rücken zu ihr stehen, als wollte er ihr den Weg versperren.

Henny Porten legt den Kragen seines Morgenrocks, der hinten hinaufstand, zurecht, bläst ihm dann leicht auf den Nacken, und er geht weiter.

Wo sich die beiden Treppenarme treffen, bleibt er neben Elisabeth Bergner stehen und beugt sich von hinten über ihren Hals.

Sie dreht sich mit gesenkten Wimpern langsam zu ihm, schlingt ihm die Arme um den Hals, lehnt den Kopf gegen seine Brust.

Henny Porten ist nähergekommen, berührt Elisabeth Bergner mit der Handtasche an der Hüfte.

Elisabeth Bergner wendet den Kopf hin, löst sich von Stroheim, nimmt Henny Porten mit langsamen Bewegungen die Handtasche ab, hängt sie sich selber traumwandlerisch über die Schulter, reicht dann ebenso Stroheim die Hand hin, die Handfläche nach oben. Er deutet einen Kuß darauf an, tritt dann einen Schritt zur Seite, so daß Henny Porten, die inzwischen hinter ihn getreten ist, »an die Reihe kommt« und sich über die Hand beugt, die Elisabeth Bergner inzwischen umgedreht hat, mit dem Rücken nach oben.

Henny Porten gibt dem Vorgang eine andre Bedeutung, indem sie die Hand nur anschaut, über die sie sich gebeugt hat.

Sie richtet sich auf, behält die Hand in der ihren und führt sie zu Stroheim hin, als wollte sie ihm darauf etwas zeigen.

Stroheim nickt, »als sehe er es auch«. Dieses Nikken wird aber im nachhinein zum Zeichen, daß er mit dem folgenden einverstanden war:

Henny Porten führt die Hand Elisabeth Bergners unter die Weste Stroheims und bewegt sie wie streichelnd dort umher.

Elisabeth Bergner zieht plötzlich die Hand zurück und läßt sie fallen.

Es ist aber Henny Porten, die kurz aufschreit.

Sie macht einen kleinen Knicks vor Elisabeth Bergner, deutet dann vor Stroheim eine Verbeugung an.

Dann tut sie einen Schritt zurück, zwinkert einem von beiden zu – man weiß nicht wem – und schickt sich an, die paar Stufen in den Raum hinabzugehen.

George und Jannings sind inzwischen die ZU-
SCHAUER gewesen.

Als aber Henny Porten anfängt, herunterzuschreiten, erwachen sie und fangen gemeinsam zu zählen
an:

»Eins, zwei, drei . . .«

Henny Porten kommt langsam in den Raum
herunter.

»Vier, fünf, sieben!«

Sie wollte gerade den Fuß auf die sechste Stufe
setzen, hält jetzt inne, als sollte sie abstürzen, läuft
dann die Stufen zurück hinauf.

Sie fängt von neuem an, herunterzuschreiten.

»Eins, zwei, drei, vier, fünf, sechs, und sieben!«

Es gab aber noch eine achte Stufe, und Henny Porten, die auf ebener Erde weitergehen wollte, stürzt
taumelnd ab, strauchelt in den Raum hinein, ringt
um Luft und läuft schnell wieder die Treppe hinauf,
als sei sie zurückgestoßen worden.

Sie schmiegt sich an Stroheim.

»Mut! Nur Mut!« ruft man ihr von unten zu. Man
pfeift hinauf, wie man einem Hund pfeift.

Stroheim legt den Arm um sie, stützt sie unter der
Schulter, fängt an, behutsam mit ihr die Stufen
herunterzugehen.

Sie hat die Augen geschlossen.

Die beiden unten haben wieder zu zählen angefangen:

»Eins, zwei, drei, vier, fünf, sechs, sieben, acht,
neun!«

Bei »acht« waren Stroheim und Henny Porten

schon gut unten angekommen, aber bei »neun« steigen sie noch eine Stufe herunter, die es nicht mehr gibt.

Sie prallen heftig auf, gehen in die Knie, torkeln.

Henny Porten will zurücklaufen, doch Stroheim, der selber wankt, führt sie zu einem Sofa.

Er läßt sie hingleiten, aber mitten in der Bewegung klammert sie sich an ihn, tastet mit der Hand nach dem Sofa und läßt sich nach und nach nieder.

Sie lehnt sich allmählich zurück und sitzt da, mit fest geschlossenen Augen, bewegungslos, während Stroheim Schritt für Schritt auf den Tisch zugeht, an dem George und Jannings als Zuschauer sitzen.

Nach jeder Bewegung stockend, beide Hände vorher draufgestützt, setzt er sich in den noch freien Fauteuil ohne Fußschemel.

Er will sich zurücklehnen, stockt, sitzt still da, mit offenen Augen. Er blinzelt heftig, mit langen Pausen dazwischen.

Die Zuschauer schauen jetzt hinauf zu Elisabeth Bergner.

Mit gesenkten Wimpern steht sie da.

George und Jannings laufen auf Zehenspitzen zur Treppe und legen sich, einander den Finger auf den Mund haltend, parallel zu den Stufen am untersten Treppenabsatz nieder, der eine auf den Rücken, der andre auf den Bauch.

Elisabeth Bergner kommt die Treppe herunter und betritt über Bauch und Rücken der beiden den Boden.

Sie geht schon auf den Tisch zu.

Als George und Jannings aufstehen und einander

die Kleider abklopfen, hat sie sich schon auf dem Sessel niedergelassen, die Warmhaltehaube von der Teekanne genommen, sich Tee eingegossen und, ohne aufzuschauen, die Tasse an den Mund geführt; als hätte sie all das in einer einzigen Bewegung getan.

George und Jannings gehen verwirrt zum Tisch zurück.

George: »Noch einmal: ich biete Ihnen meinen Fauteuil an!«

Elisabeth Bergner antwortet nicht.

George: »Darf ich Ihnen meinen Fauteuil anbieten?«

Elisabeth Bergner, wie im Schlaf: »Auf den Straßen der unüberwindliche Dreck, die Fröste, Schneestürme, die großen Entfernungen . . .«

Jannings: »Was hat sie gesagt?«

George: »Nichts. Sie träumt.« Zu Elisabeth Bergner wie zu jemandem, der im Schlaf spricht: »Wer sind Sie?«

Elisabeth Bergner: »Ich bin nur in die Diele gegangen, um das Licht abzudrehen, und seitdem spurlos verschwunden.«

George: »Wer?«

Elisabeth Bergner: »Passen Sie auf, der Kerzenhalter fällt um!«

Jannings und George fahren herum, aber der Kerzenhalter steht bewegungslos auf dem Tisch.

Elisabeth Bergner öffnet schnell die Augen. Sie schreit sofort: »Wer sind Sie? Was wollen Sie? Wo bin ich?«

Sie hat sich schon während der Fragen wieder be-

ruhigt und sie dann nur der Form halber zu Ende gesprochen.

Sie steht auf und setzt sich in einen der freien Fauteuils, springt aber sofort wieder auf:

»Er ist noch warm!«

Sie probiert den zweiten Fauteuil und steht gleich
wieder auf: »Wie können Sie mir einen Fauteuil anbieten, der noch warm ist?«

Jannings: »Ich?«

Elisabeth Bergner: »Nein, er.«

Sie zeigt mit dem Kopf kurz auf George.

Henny Porten, die still hinten auf dem Sofa sitzt,
hat die Augen geöffnet: »Welche Schneestürme?«

Erich von Stroheim hört auf zu blinzeln und ver-
folgt das Gespräch.

Elisabeth Bergner zu George: »Warum antworten
Sie nicht?«

Zu Jannings: »Er antwortet nicht?«

Jannings STOTTERT.

Elisabeth Bergner: »Denken Sie nach, bevor Sie
zu reden anfangen!« Pause.

Jannings, fließend: »Er glaubte vielleicht, Sie er-
warteten auf Ihre Frage ohnedies keine Antwort.«

Elisabeth Bergner: »Kann er nicht für sich selber
antworten?«

Jannings: »Ich spreche für ihn.«

Elisabeth Bergner: »Sind Sie denn mächtiger als
er?«

Jannings: »Warum? Ich meine: warum fragen
Sie?«

Elisabeth Bergner: »Weil Sie für ihn sprechen.«

Jannings stutzt. Er schaut George an, der zurück-
schaut.

Jannings stottert.

Pause.

Elisabeth Bergner, schnell: »Gefällt er Ihnen?«

Jannings nickt abwesend.

Elisabeth Bergner: »Natürlich: er muß Ihnen gefallen, als Ihr Freund!«

Jannings »Mächtiger? Ja ... Ja, warum nicht?
(Zu George) Nicht wahr? Ich spreche für dich, also
habe ich dir auch etwas zu sagen!? (George nickt
spielerisch) Du bist nicht mein Freund! Wenn hier
jemand etwas zu sagen hat, dann bin ich es!«

Pause.

Jannings und George fangen zu spielen an:

Jannings läßt sich auf den Fauteuil fallen und
streckt die Füße aus: »Die Stiefel!«

George tritt schnell herzu, läßt sich auf ein Knie
nieder und zieht ihm die Stiefel an.

Jannings: »Den Tee!«

George gießt flink Tee in eine Tasse, reicht sie ihm.

Jannings: »Den Zucker!«

George hält ihm die Zuckerdose hin.

Jannings nimmt ein Stück mit der Zange und läßt
es elegant in die Tasse fallen.

»Einen Löffel!«

George REICHT ihm einen Löffel.

Beide schmunzeln in sich hinein, sind nah daran zu
kichern.

Jannings rührt einmal zackig um: »Die Zeitung!«

George ist schon beim Zeitungstisch und zurück.

»Meine Brillen!«

George PLATZT heraus: »Aber Sie tragen keine Brillen!«

Jannings PRUSTET: »Den Senf! Die Haarbürste! Das . . .« Er stockt.

George hilft ihm: »Das Fotoalbum! Die Pinzette!«

Jannings, mit der Handbewegung eines Chirurgen: »Das Skalpell! Die Schere!«

George: »Dauerwellen — aber rasch, bitte!«

Jannings, mit den Gesten eines Automechanikers, blind hinter sich greifend: »Die Kombizange! Den Schraubenschlüssel! Den Lötkolben!«

George: »Heraus mit den Scheinen — aber etwas dalli, wenn ich bitten darf!«

Jannings: »Die Sonne!«

George stockt. »Warum die Sonne?«

Jannings, vom Spiel ermattet: »Sie ist aufgegangen.«

George, verwirrt: »Wieso? Ich meine, wieso sagen Sie das?«

Jannings fährt ihn an: »Das sind *meine Worte!*« Wie erschöpft: »Ich weiß es nicht.«

George, verwirrt, aber gleichgültig: »Es ändert doch nichts, daß Sie es sagen.«

Die letzten Worte hat er nur noch in sich hinein gesprochen. Im übrigen hatte sich wirklich das Morgenlicht auf der Bühne seit einiger Zeit ganz allmählich in ein übliches Bühnenlicht verwandelt.

Endlich hört man Erich von Stroheim sagen: »Falsch! Ganz falsch!«

Er steht rasch auf.

Elisabeth Bergner hat sich ihm zugewendet, während sie sich vorher wie enttäuscht von den andern abgewendet hatte.

Stroheim: »Ich werde Ihnen zeigen, wie man es macht!«

Pause.

Alle richten sich darauf ein, zuzuschauen.

Stroheim blickt langsam um sich, als wollte er jemanden aussuchen. George und Jannings ziehen die Köpfe ein, als der Blick an ihnen vorbeigeht. Schließlich betrachtet Stroheim Henny Porten.

Da er mit dem Rücken zu den Zuschauern steht, ist sein Blick nur daran zu erkennen, wie Henny Porten auf ihn antwortet.

Sie lehnt sich zuerst vor, sitzt aufgerichtet da.

Sie erhebt sich, wie eine Schlafwandlerin, geht auf Stroheim zu, bleibt vor ihm stehen.

Vor ihm stehend, will sie ihm den Morgenmantel von den Schultern nehmen, aber dann tritt sie hinter ihn und nimmt ihm den Mantel von hinten ab; sie scheint ihn selber dabei gar nicht zu berühren.

Sie geht zur Tapetentür, hinter der der Staubsauger steht, hängt den Mantel hinein, nimmt eine weinrote Hausjacke heraus, breitet sie, wieder hinter Stroheim, aus, und er schlüpft mit beiden Händen hinein, ohne daß die beiden einander wieder berührt haben.

George, als Zuschauer, HUSTET.

Jannings macht: »Pst!«

Henny Porten zieht Stroheim die Manschetten unter den Jackenärmeln hervor.

Pause.

Stroheim beschreibt nun mit der Hand einen Vier-
telkreis, zum Zeichen, daß Henny Porten sich vor ihn
hinstellen soll.

Sie folgt der Bewegung sofort, achtet dabei darauf,
ihm niemals den Rücken zuzukehren.

Sie bleibt vor ihm stehen.

Er winkt sie mit dem Zeigefinger heran.

Pause.

Jannings, im Eifer des Zuschauens, deutet mit
einer ähnlichen Kreisbewegung der Hand auf die Zigarrenkiste.

George hat die Bewegung, ebenfalls im Eifer des
Zuschauens, aus den Augenwinkeln bemerkt und ge-
horcht ihr blind, indem er Jannings die Kiste vom
Tisch reicht, während er weiter den beiden zuschaut.
Dann erst bemerkt er, was er getan hat, und ist wie
erschrocken.

Er schaut zu Jannings hin.

Beide schauen einander wie erschrocken an und
wenden sich sofort wieder dem Schauspiel zu.

Stroheim zieht Henny Porten an ihrer Stola näher
an sich heran. Er tritt spielerisch ein wenig zur Seite,
so daß auch Henny Porten ganz zu sehen ist.

Er faßt sie mit dem Zeigefinger unters Kinn und
hebt ihr Gesicht.

Pause.

Er streichelt sie über den Hinterkopf.

Pause.

Er tätschelt ihr die Schulter.

Pause.

Er klopft ihr mit zwei Fingern auf die Wange.

Pause.

Er schnippt ihr gegen die Zähne.

Pause.

Er zieht mit dem Finger ihr unteres Augenlid herunter.

Pause.

Er gibt ihr einen Klaps auf den Hintern, daß sie in die Knie geht.

Pause.

George hustet.

»Pst!« macht Jannings.

Stroheim dreht Henny Porten herum, so daß sie mit dem Rücken zu ihm steht, und geht einen Schritt zurück.

Pause.

George hustet.

Jannings gibt ihm im Sitzen einen Tritt.

George, der am Tisch steht, ruckt nur ein wenig vornüber, aber Henny Porten, als wäre sie es gewesen, die getreten worden ist, fällt über die Bühne auf das Sofa zu und bleibt davor liegen.

Wirklich hatte Erich von Stroheim schon das Knie zum Tritt gehoben.

Pause.

Erschrocken schauen alle einander an.

Pause.

Elisabeth Bergner: »Es ist schön, zuzuschauen, wenn etwas sich einspielt! Es ist, wie wenn man bei einem Kauf zuschaut: Zug um Zug! Hier die Ware, hier das Geld! Hier das Geld, hier die Ware! Oder wie wenn man zwei Leuten beim Sprechen zuhört: erst die Frage, dann die Antwort! Jemand streckt die Hand aus, der andre schüttelt sie! Wie geht es Ihnen, mir geht es gut! Wie finden Sie ihn, ich finde ihn in Ordnung! Jemand steht auf, Sie gehen schon?! Jemand seufzt, und man streichelt ihn! Schön ist das!«

Stroheim läßt das Knie langsam sinken, dreht sich wie benommen um.

Henny Porten richtet sich am Sofa auf und läßt sich darauf nieder, das Gesicht halb weggekehrt.

George setzt sich verwirrt in den Fauteuil, Jannings betrachtet den Stiefel, mit dem er ihn getreten hat. Er zwickt sich ein paarmal ins Bein und in den Oberarm.

Auch George zwickt sich einmal heftig in den Arm.

Elisabeth Bergner SEUFZT.

Sie geht auf Stroheim zu, hält dann inne. Er kommt auf sie zu, bleibt dann stehen.

Sie nimmt seine Hand, legt sie sich auf die Brust.

Sie streichelt sich mit seiner Hand, bis er anfängt, sie zu streicheln.

Henny Porten steht plötzlich auf und läuft auf den Tisch zu.

George, der, von ihr aus gesehen, hinter dem Tisch sitzt, steht, wie ohne es zu wollen, auf.

Elisabeth Bergner und Stroheim lassen voneinander ab und schauen hin.

»Was wünschen Sie?« fragt George. Es ist ihm ENTSCHLÜPFT.

Henny Porten, wie eine Kundin: »Führen Sie Gaspistolen?«

George: »Gaspistolen? Sie meinen ›Gaspistolen‹?«

Henny Porten: »Sind Sie denn nicht der Verkäufer?«

George schweigt.

Henny Porten: »Sie saßen hinter dem Tisch und standen auf, als ich kam: also sind Sie doch wohl der Verkäufer?«

George schaut Jannings an; der bedeutet ihm, auf sie einzugehen.

George: »Der Verkäufer? Sie meinen, ich sei ›der Verkäufer‹? Ja, warum sollte ich nicht der Verkäufer sein, ich fragte Sie doch: ›Was wünschen Sie?‹ Was wünschen Sie? Eine Waffe vielleicht, für den Heimweg im Dunkeln?«

Henny Porten: »Eine Gaspistole.«

George zu Jannings, der wie der PATRON in seinem Fauteuil sitzt: »Führen wir Gaspistolen?«

Jannings zieht eine kleine Reitgerte aus seinem Stiefel und reicht sie George; der legt sie auf den Tisch.

Henny Porten betrachtet sie, ohne sie zu berühren.

Jannings, der abgewendet von ihr sitzt: »Diese Reitgerte tut es auch.«

George: »Eine Reitgerte wie diese tue es auch.«

Henny Porten: »Ich will *diese*.«

Jannings: »Ist sie der erste Kunde heute?«

George übersetzt das: »Ein Kunde wie Sie müsse behandelt werden wie der erste Kunde am Tag: sie gehört Ihnen!«

Henny Porten nimmt die Gerte: »Ist sie auch gut?«

George: »Sehr gut.«

Henny Porten: »Kann ich Ihnen glauben?

George: »Welchen Grund hätte ich, Ihnen etwas vorzumachen?«

Sie reicht ihm die Gerte zurück, und er schlägt damit in die Luft, daß es pfeift. Dann schlägt er mit der Gerte auf den Tisch, und es gibt einen Knall.

»Stellen Sie sich das Geräusch erst einmal im Dunkeln vor!« sagt er und ÜBERREICHT ihr die Gerte.

Sie wiederholt, was er gemacht hat. Es pfeift und knallt.

Sie schiebt, die Gerte noch in der Hand, das Kleid an der Seite bis zur Hüfte hinauf und zieht einen großen Schein Theatergeld aus dem Strumpfband.

Sie legt den Schein auf den Tisch, legt auch die Gerte wieder dazu.

George gibt sie ihr verwundert zurück, zählt dann aus der Hosentasche einige Münzen auf den Tisch.

Während er in anderen Taschen nach Scheinen sucht, nimmt Henny Porten das Kleingeld schon an sich; als er aber weitersucht, legt sie die Münzen wieder zurück.

Jannings steht auf und ZÜCKT ein paar Scheine, die er ihr einzeln in die Hand zählt.

Er schließt ihr die Finger einzeln über den Scheinen zur Faust; den letzten Finger – es ist der Zeigefinger – schließt sie, sehr langsam, selbst. Es sieht aus, als ob sie ihn zu sich heranwinkt. Sie schauen dabei einander in die Augen.

Keiner atmet.

Henny Porten schiebt die Scheine in ihr MIEDER, zieht die Hand dann langsam zurück, indem sie dabei deutlich zeigt, daß sie leer ist, berührt mit der Zunge die OBERLIPPE und schaut, leicht mit der Gerte WEDELND, die beiden Verkäufer so lange an, bis George von einem Bein auf das andere tritt und unanständig laut zu Stroheim hin ruft: »Gehören Sie zusammen?«

Stroheim und Henny Porten schauen einander flüchtig an, schauen dann weg. Ein zweiter Blick: sie schauen einander an WIE ZUM ERSTEN MAL.

Stroheim: »Sieht man uns das nicht an?«

Er tritt zu Henny Porten und faßt sie um die Hüfte, und sie hört auf, mit der Gerte zu wedeln.

George: »Jetzt schon.«

Henny Porten zu George und Jannings: »Und wie verhält es sich mit Ihnen? Gehören Sie zusammen?«

George und Jannings schauen einander an, schauen weg.

DER ZWEITE BLICK:

Sie schauen einander an wie zum ersten Mal.

George und Jannings gleichzeitig: »Ja, er gehört zu mir.«

Zueinander, George leiser, Jannings lauter: »Sie gehören zu mir.« – »Du gehörst zu mir.«

George: »Warum?«

Jannings: »Weil es schon immer so war.«

George: »Wer sagt das?«

Jannings: »Das sagt man allgemein.«

George: »Und warum sagen Sie mir das erst jetzt?«

Jannings: »Bis jetzt war es nicht nötig, dir das zu sagen.«

George: »Jetzt ist es also nötig?«

Jannings schaut seine KALTE ZIGARRE an: »Ja.«

Er deutet mit der Zigarre auf die Streichholz-schachtel, die auf dem Fußschemel des Fauteuils liegt.

George bückt sich danach, dann stockt er und rich-tet sich auf.

Jannings: »Da siehst du, wie nötig es war.«

George reicht ihm darauf verwirrt die Streichhöl-zer, und Jannings schmaucht sich zufrieden die Zi-garre an.

Er läßt das Streichholz fallen.

Jannings: »Du hast da etwas verloren.«

George schaut flüchtig auf das Streichholz, schaut weg.

Der zweite Blick: er hebt das Streichholz auf und legt es in den Aschenbecher.

Stroheim klatscht andeutungsweise Beifall, ohne daß man ihn klatschen hört: »Schon besser! Viel bes-ser! Freilich, wenn ich Sie wäre –«

Henny Porten: »Wer hindert Sie daran?«

Stroheim: »Ja, wer hindert mich daran?«

Er atmet lang ein und stellt sich in eine Pose.

Jannings nimmt die Münzen vom Tisch und wirft sie ihm ins Gesicht.

Stroheim schüttelt sich und kommt zu sich. Er sagt zu Jannings und George, wie ihnen etwas vorspre-chend: »Sie sind noch immer da?«

Jannings, wie nachsprechend, aber doppelt so laut: »Sie sind noch immer da?«

Stroheim: »Das ist es! Genau das! So hätte ich es gemacht!«

Pause.

Stroheim gibt Jannings ein Zeichen, weiterzureden. Er soufffliert ihm: »Was wollen Sie hier?«

Jannings: »Was wollen Sie hier?«

Stroheim: »Wir möchten uns nur etwas umsehen!«

Jannings: »Das hier ist kein Rummelplatz!«

Stroheim: »Lassen Sie *ihn* doch für sich reden!«

Jannings nickt George zu und läßt sich auf dem Fauteuil nieder, mit dem Rücken zu den andern.

George: »Das hier ist Privatbesitz.« Jannings nickt. »Sie sind hier in keinem Wirtshaus. Sie haben hier nichts zu sagen. Unterhalten Sie sich bitte hier nur im Flüsterton. Nehmen Sie ihre Kopfbedeckung ab, wenn Sie schon hier eindringen. Haben Sie nicht die Filzpantoffeln gesehen, die am Eingang für Sie bereitstanden? Schauen Sie mich an: ich rede mit Ihnen. Sie sind hier nicht zu Hause, wo Sie die Beine auf den Tisch legen können. Wo sind wir, daß jeder hier hereinkommen kann? Schauen Sie, wo Sie hintreten, es sind Fußangeln und Selbstschüsse ausgelegt. Achtung, Rattengift. Nichts anrühren. Böse Hunde. Langer, strenger Winter. Hochwasser im Frühjahr, Schlamm in den Schränken, kein Kranich erwacht mehr mit schrillem Schrei auf den Wiesen, kein Maikäfer mehr surrt durch die Lindenbäume.« Pause. »Es ist schrecklich schmerzlich, zugleich lebendig und allein zu sein.« Pause.

Stroheim: »Er wird es nie lernen.«

Pause.

George: »»Es regnete noch nicht, aber weiter weg konnte man es schon regnen hören . . .‹«

Stroheim wendet sich mit Henny Porten ab und geht mit ihr umher, als wollte er die Einrichtung besichtigen.

Er will eine Zeitschrift herausnehmen, aber als er sich damit aufrichtet, erweist sich, daß sie angekettet ist wie ein Telefonbuch, und er stellt sie schnell wieder zurück.

Dann will Henny Porten die mit einem Papiersack verhüllte kleine Statue auf der Kommode in die Hand nehmen, aber es erweist sich, daß sie angeschraubt oder angeklebt ist.

Sie zieht den Papiersack von der Statue: es ist ein vielfarbig angemalter, aufrecht dasitzender Hund.

Sie berührt ihn, und er quietscht: er ist aus Gummi.

Stroheim kommt dazu und zieht an einer Lade der Kommode. Sie geht nicht auf, obwohl er es wieder und wieder versucht.

Schließlich versucht er es an einer anderen Lade, die ganz leicht aufgeht.

»Sehen Sie!« sagt Stroheim.

Sie lassen die Lade offenstehen und besichtigen weiter.

Er zieht den Schutzbezug von dem ersten Bild und läßt ihn fallen: eine Seelandschaft, mittlerer Wellengang, keine Schiffe, nur Meer und Himmel.

Fast gleichzeitig hat sie den Schutzbezug von dem zweiten Bild gezogen: ein Spiegel ohne besondere Merkmale.

Sie läßt sich auf dem zweiten, bisher unbenutzten Sofa nieder, während Stroheim vom Getränketisch mit einer Flasche und zwei Gläsern zurückkommt.

Er setzt sich zu ihr und dreht an dem Flaschenver-
schluß, kriegt ihn aber nicht auf.

Er bläst wie beiläufig in die Gläser, und eine
Staubwolke fährt ihm ins Gesicht.

Er stellt Gläser und Flasche beiläufig zur Seite.

Er schaut seine Hände an, dreht eine Handfläche
auf und zu.

Henny Porten hält seine Hand plötzlich fest:
»Passen Sie auf!« Pause. Sie sieht seine Hand. »Ach,
es ist nur Ihre Hand. Ich dachte, ein Tier!«

Stroheim: »Warum schauen Sie mich nicht an?«

Henny Porten: »Ich wage nicht, Sie genau anzuschauen, aus Angst, Sie bei etwas zu ertappen!« Sie
schaut ihn an.

Pause.

Elisabeth Bergner ist inzwischen zum Spiegel gegangen und hat sich ruhig darin betrachtet.

Jannings und George, der noch immer steht und
mit einem großen roten Tuch, das er sich aus der Tasche gezogen hat, das Besteck auf dem Tisch sorgfäl-
tig abwischt und es dann auf ein zweites rotes Tuch
daneben legt (ab und zu versucht er es zu STELLEN),
als wollte er es dort präsentieren, sind Zuschauer.

Henny Porten hat Stroheim die Hand aufs Knie
gelegt und streichelt sich die eigene Hand mit der
andern Hand.

Stroheim bewegt lautlos die Lippen, wobei ab und
zu ein Wort deutlich wird: »Schneepflüge ... Hek-
ken ... ein Hundebild?« Einmal drückt er die ineinander verflochtenen Finger beider Hände nach unten,
daß es KNACKT.

Elisabeth Bergner kämmt sich, aber mit Bewegungen, die immer unsicherer werden. Sie weiß nicht, in welche Richtung sie den Kamm ziehen soll, während sie sich im Spiegel betrachtet.

Sie will mit einer kleinen Schere eine Haarsträhne abschneiden, die sie mit den Fingern vom Kopf weghält, aber sie schneidet immer wieder daneben, läßt die Haarsträhne schließlich fallen.

Sie will sich schminken, zieht die Augenbrauen nach, den Lidstrich, legt neues Wangenrot auf, pudert sich die Nase, zieht die Lippen nach. Aber all das tut sie immer unsicherer, mit einander entgegengesetzten Bewegungen, verwechselt die Richtungen, in die sie Striche ziehen will.

Sie ist durcheinander.

Sie will die Schminksachen wieder in die Tasche geben, aber sie fallen daneben.

Sie geht weg.

Sie kehrt um, geht in die andre Richtung, schaut dabei über die Schulter zurück, kehrt wieder um.

Sie ist ganz durcheinander, ihr Gesicht ist verzeichnet.

Sie geht in eine Richtung, in der niemand ist, und sagt:

»Helfen Sie mir!«, aber mit der falschen Gestik; sie tänzelt dabei.

Sie stößt gegen Sachen, bückt sich nach Sachen, die dann *hinter* ihr liegen.

Henny Porten ruft sie: »Machen Sie die Augen auf! Reden Sie! Kommen Sie zu sich!«, aber sie wendet den Kopf nicht nach ihr, sondern woandershin.

Henny Porten steht auf und nähert sich ihr vorsichtig von hinten.

Henny Porten: »Erschrecken Sie nicht!«

Elisabeth Bergner erschrickt, schaut hinauf zur Treppe. Sie versucht auf das Meeresbild zu zeigen, aber es gelingt ihr nicht. »Es hat mir zugezwinkert! Es zwinkert mir zu!«

Henny Porten beruhigt sie, indem sie sie streichelt und umherführt. Gemeinsam bücken sie sich nach den Münzen und andern Sachen auf dem Boden. Zuerst führt Henny Porten ihre Hand, dann greift sie selber nach den Sachen, zeigt auch wieder richtig danach.

Während sie das tun, reden sie miteinander, und je länger sie reden, desto sicherer und anmutiger werden sie.

Henny Porten: »Einmal, bei Regen, ging ich mit aufgespanntem Regenschirm über eine breite, dichtbefahrene Straße. Als ich endlich auf der anderen Seite angekommen war, ertappte ich mich dabei, wie ich den Regenschirm zusammenfaltete.«

Elisabeth Bergner: »Und als ich einmal – bitte, helfen Sie mir.« Sie ist noch unsicher.

Henny Porten umfaßt sie, wischt ihr mit der Stola das Gesicht ab:
»Als ich einmal, während ringsherum großer Lärm war, mich über einen Strauß Nelken beugte, konnte ich zunächst nichts riechen.«

Elisabeth Bergner: »Einmal, während ich ein Tischtuch über einen –« Das Wort fällt ihr nicht ein, und sie wird von neuem ängstlich. »Helfen Sie mir, bitte.«

Henny Porten spricht jetzt deutlich, um ihr ein Beispiel zu geben: »Einmal ging ich eine Treppe hinunter und hatte solche Lust, mich fallenzulassen, daß ich, als ich unten angekommen war, vor Angst zu laufen anfing.«

Elisabeth Bergner atmet auf.

»Einmal, während ich ein Tischtuch über einen Tisch breiten wollte, war ich in Gedanken (sie zeigt schön auf das Bild) am Ufer des Meeres und ertappte mich dabei, wie ich das Tischtuch schüttelte, als ob ich damit winken wollte.«

Sie umarmen einander, bewegen sich umher wie tanzend, während sie die Münzen und Schminksachen in die Handtasche stecken. Sie reden und bewegen sich immer beschwingter.

Henny Porten: »Wieso ›ertappt‹? Warum nicht!: ›Ich sah mich‹, ›Ich bemerkte‹?«

Elisabeth Bergner: »Ich sah mich! Ich bemerkte mich! Ich hörte mich!«

Sie stehen einander gegenüber.

Henny Porten: »Jemand schaut sich öfter um, während er geht: hat er ein schlechtes Gewissen?«

Elisabeth Bergner: »Nein, er schaut sich nur einfach öfter um!«

Henny Porten: »Jemand sitzt mit gesenktem Kopf da: er ist traurig?«

Elisabeth Bergner nimmt eine Mannequinpose für ihre Antwort ein: »Nein, er sitzt einfach nur mit gesenktem Kopf da!«

Henny Porten: »Jemand zuckt zusammen: schuldbewußt?«

Elisabeth Bergner antwortet mit einer anderen Mannequinpose: »Nein, er zuckt nur einfach zusammen!«

Henny Porten: »Zwei sitzen da, schauen einander nicht an und schweigen: sind sie böse aufeinander?«

Elisabeth Bergner führt ihren Satz mit einer anderen Pose vor: »Nein, sie sitzen nur einfach da, schauen einander nicht an und schweigen!«

Henny Porten: »Jemand schlägt auf den Tisch: um seinen Willen durchzusetzen?«

Elisabeth Bergner, mit einer anderen Mannequinpose: »Darf er nicht einmal nur einfach auf den Tisch schlagen?«

Sie laufen mit einem kleinen Aufschrei aufeinander zu, umarmen einander und trennen sich sofort wieder, indem sie sich gespannt betrachten.

Elisabeth Bergner zeigt auf George: »Er putzt das Besteck und legt es auf einem roten Tuch aus: will er es verkaufen?«

Henny Porten steht mit hängenden Armen da, schüttelt nur knapp den Kopf.

George, wie befreit, fängt an, das Geschirr beschwingt zu putzen.

Elisabeth Bergner zeigt auf Emil Jannings, in einem Atem:

»Er wendet uns den Rücken zu, sitzt im bequemsten Fauteuil: bedeutet das, daß er mächtiger ist als wir alle?«

Henny Porten schaut ihr in die Augen und schüttelt nur knapp den Kopf.

Emil Jannings streckt sich erlöst auf dem Fauteuil

aus, sichtlich vergnügt, seine Bedeutung verloren zu haben.

Elisabeth Bergner deutet mit dem Kopf auf Erich von Stroheim: »Er sitzt allein in der Ecke auf einem großen Sofa: will er uns damit bedeuten, daß wir uns zu ihm setzen sollen?«

Henny Porten lächelt nur noch nachsichtig wie über etwas, das sich als ein Traum herausgestellt hat.

Auch Erich von Stroheim vergißt sich, lächelt freundlich und entspannt sich sichtbar.

Elisabeth Bergner: »Und der Spiegel dort?«

Emil Jannings steht auf und SCHLENDERT auf die beiden zu: »Ist nur einfach ein Spiegel!«

Heinrich George schließt sich ihm an: »Vielleicht ist Fliegendreck drauf!«

Elisabeth Bergner: »Und warum läßt sich die Lade an der Kommode nicht herausziehen?«

Jannings stockt ganz wenig: »Sie klemmt!«

Elisabeth Bergner: »Und warum klemmt sie?«

Erich von Stroheim springt vom Sofa auf: »Laßt sie doch klemmen!«

George: » Ja, laßt sie doch klemmen!«

George und Stroheim tänzeln aufeinander zu, heben wie Tanzbären das Tanzbein: »Laßt sie doch klemmen!«

Jannings schließt sich ihnen an: »Laßt sie doch klemmen! Laßt sie doch klemmen!«

Alle drei umtanzen einander: »Laßt sie doch klemmen, die Lade! Die Lade, oh, laßt sie doch klemmen! Laßt sie, die Lade, laßt sie, oh, laßt sie doch klemmen!« Sie singen unisono: »Oh laßt die Lade doch klemmen, oh oh laßt die Lade doch klemmen!«

Sie stehen still und singen das gleiche nach der Melodie von »Whisky please let me alone« im Kanon, mit verteilten Stimmen, mit einem Bruch in der Mitte, nach einem »Oh«, worauf sie einander still anschauen, die Zeigefinger heben, worauf einer, eine Oktave tiefer, weitersingt: »...laßt die Lade doch klemmen!«, worauf nach und nach die zwei andern Stimmen, ebenfalls eine Oktave tiefer, einfallen und das Lied harmonisch zu Ende singen.

Alle schauen einander ernst und zärtlich an.

»Wir sind frei? Wir sind frei!«

Durcheinander: »Wir haben das alles nur geträumt! Haben wir das alles also nur geträumt? Was? Ich habe es schon vergessen! Und ich merke gerade, wie ich es vergesse! Ich stehe ganz still und beobachte mich, wie ich es nach und nach vergesse! Ich versuche mich zu erinnern, aber gerade indem ich mich zu erinnern versuche, merke ich, daß es immer mehr versinkt, es ist, als hätte ich etwas verschluckt, und mit jedem Versuch, es heraufzuholen, schlucke ich es tiefer hinunter! Es versinkt, und ihr taucht immer mehr auf! Wo seid ihr gewesen, ich habe euch gesucht?! Wer seid ihr? Kenne ich euch?«

Sie umarmen einander, neigen einander die Köpfe zu, verbergen die Köpfe ineinander, reiben sich aneinander, streicheln einander mit Köpfen und Händen.

Sie lösen sich voneinander und beschäftigen sich wie beschwingt mit den Gegenständen, fassen sie an, drücken sie an sich, lehnen sich spielerisch an sie, stemmen sie hoch, wiegen sie in den Armen, berühren zwei Sachen miteinander wie zu einer Umarmung, kneifen, tätscheln und streicheln sie, wischen Staub von ihnen, entfernen Haare von ihnen ...

Dabei seufzen, summen, kichern, lachen, trällern sie ...

Nur einmal werden sie für kurze Zeit unsicher und still: eine der Frauen steht abgewendet, an das Treppengeländer gelehnt, und ihre Schultern zucken.

Nach einer Schrecksekunde geht einer der Männer auf sie zu und dreht sie ängstlich um: sie lacht still, und alle lassen sich nach und nach wieder von ihr anstecken.

Einer der Männer geht einmal von einem Ende der Bühne den andern entgegen, die gerade auf ihn zukommen; er geht auf sie zu, als wollte er mit ihnen zusammenstoßen, macht aber in dem Moment, da man sie schon zusammenstoßen SIEHT, mit dem Körper eine Finte und weicht elegant aus. So macht er es den ganzen Weg über die Bühne.

Die anderen Männer ahmen ihn nach, gehen auf die Frauen zu und schlagen elegant vor ihnen einen Haken, bevor sie in die gleiche Richtung weitergehen; das gleiche tun sie alle drei, wenn sie Gegenständen ausweichen.

Sie freuen sich übereinander, und die Frauen lachen.

Einer schlägt ein Rad, der andre SPRINGT fröhlich über ein Hindernis, über das er auch einfach hätte drübersteigen können, der dritte führt eine elegante Geste mit dem Unterarm vor, indem er den Arm hebt, dabei schnell den Ellbogen knickt und wie auf wunderbare Weise den Ärmel seiner Jacke bis zum Ellbogen herunterrutschen läßt; das wiederholt er öfter, benützt schließlich die Geste, indem er sich spielerisch Feuer gibt.

Schließlich lassen sich alle nach und nach wie selbstverständlich vorn am Tisch nieder, die Frauen auf den Fauteuils mit den Fußstützen, Stroheim auf dem Fauteuil ohne Fußstütze, Jannings auf dem Sessel, George auf dem Stuhl.

Wie in Nachbildern machen sie noch Andeutungen ihrer Spielereien, sprechen noch nach, was sie einander vorgeredet haben: »Ich habe mich ganz vergessen? ›Ich‹? Wir! Wir haben uns vergessen!«

Schließlich beruhigen sie sich.

Nur Elisabeth Bergner spielt noch mit ihrer Handtasche und weiß nicht, wo sie sie lassen soll.

»Lassen Sie sie doch im Schoß liegen!« sagt Erich von Stroheim.

»Das wollte ich auch gerade sagen!« sagt Jannings, »Eine Sache im Schoß zu haben, ist das angenehmste.«

». . . im Schoß zu haben, ist am angenehmsten«, ist George gleichzeitig eingefallen.

Sie lachen.

»Im Schoß hat man für eine Sache das angenehmste Gefühl«, sagt George.

»Im Schoß hat man für eine Sache das angenehmste Gefühl«, ist Henny Porten ein wenig später eingefallen.

Alle lachen.

Elisabeth Bergner legt sich behutsam die Tasche in

den Schoß, rückt mit kleinen Bewegungen im Fauteuil den Körper zurecht.

Sie gibt einen kleinen Laut von sich.

Alle probieren es aus, wie es ist, Sachen im Schoß zu haben, sind zufrieden und stellen die Sachen an ihren Platz zurück.

Henny Porten zeigt Stroheim ihren nackten Arm: »Sehen Sie, ich habe eine Gänsehaut!«

Erich von Stroheim: »Sind Sie – Ist Ihnen –« Er stockt rechtzeitig: »Sie haben eben eine Gänsehaut, nicht wahr?«

Er lacht.

Alle lachen wie über eine böse Erinnerung.

Henny Porten: »Ja, ich habe einfach eine Gänsehaut.«

Pause.

Emil Jannings zieht etwas aus dem gepolsterten Sitz seines Sessels. Er hält es empor und zeigt es George. Dabei zieht er sich mit dem Zeigefinger der andern Hand wie unwillkürlich ein Auge in die Länge.

George übersieht das, beugt sich zu dem, was Jannings in der Hand hat.

Auch Stroheim wendet den Kopf zu Jannings. Spielerisch sagt er: »Sie haben da etwas. Was ist es? Doch wohl nichts Besonderes? Hoffentlich nichts Nennenswertes? Man braucht nicht darüber zu reden, nicht wahr?«

Auch Elisabeth Bergner und Henny Porten wenden andeutungsweise die Köpfe hin, schauen aber gleich wieder weg.

Emil Jannings: »Eine Stecknadel.«

Wie überrascht blicken alle hin.

Stroheim: »Eine Stecknadel? Sie meinen doch nicht ›die Stecknadel‹?«

Jannings: »Gerade die.«

Henny Porten: »Und es gibt sie wirklich? Es ist nicht nur eine Redensart?«

Jannings: »Überzeugen Sie sich selber.«

Er reicht die Nadel weiter an George, der sie wie selbstverständlich an Stroheim weitergibt, der sie Henny Porten überreicht.

Henny Porten: »Es trifft alles zu. Nicht einmal der ›rubinrote Kopf‹ fehlt. Es ist alles eingetroffen.«

Stroheim: »Haben Sie davon geträumt?«

Henny Porten: »Jemand redete davon im Traum.«

Sie reicht die Nadel an Elisabeth Bergner weiter: »Als ich die Nadel jetzt sah, fiel es mir wieder ein. Und ich glaubte, es sei auch nur so ein Wort!«

George: »Einmal erzählte mir jemand von einer Leiche mit einer stecknadelkopfgroßen Wunde am Hals.«

Pause.

George zu Jannings: »Haben *Sie* mir davon erzählt?«

Jannings: »Ich kann mich nicht erinnern. Aber wie Sie damit anfingen, kam mir die Geschichte auch bekannt vor.«

George: »Nein, es war ein Film.«

Pause.

George: »Es donnerte, und gleichzeitig Nebelschwaden auf der Dorfstraße ...«

Elisabeth Bergner: »Soll ich sie fallenlassen?«

Alle werden still, bewegen sich nicht.

Sie läßt die Nadel fallen.

George verhindert den Effekt, indem er zu früh weiterspricht: »Kinder mit Mörtelklumpen auf den Augen –«

Er bricht ab, aber es ist schon zu spät. Man lächelt freilich nur, läßt die Nadel, wo sie ist.

Erich von Stroheim: »Ich habe Ihnen doch schon die Geschichte von dem See erzählt?«

Henny Porten: »Nein.«

Er schaut Elisabeth Bergner an: sie schüttelt zärtlich den Kopf.

Gleichzeitig sagt Jannings: »Nein.«

Stroheim: »Dann muß ich wohl nur daran gedacht haben.«

Henny Porten: »Hat es etwas mit der Stecknadel zu tun?«

Stroheim: »Ich saß am Morgen am Ufer eines Sees, und der See glitzerte. Plötzlich fiel mir auf: der See *glitzert*. Er glitzert ja wirklich.«

Pause.

Henny Porten: »Mir erging es einmal ähnlich, als mir jemand sagte, daß seine Taschen leer seien. ›Meine Taschen sind leer!‹ Ich glaubte ihm nicht, und er stülpte seine Taschen nach außen: sie waren wirklich leer! Unglaublich!«

George nimmt sich selber eine Zigarre aus der Zigarrenkiste, hält dann Jannings die Kiste hin, der sich eine Zigarre herausnimmt.

George reibt ein Streichholz an und reicht es brennend Jannings; dieser schmaucht die Zigarre an, bläst das noch brennende Streichholz aus.

George zündet sich ein anderes Streichholz an.

Stroheim nimmt das rote Tuch vom Tisch, springt damit auf, geht damit umher, schwenkt es, als wollte er es ihnen vorführen.

Man beugt sich vor, prüft.

Stroheim schaut triumphierend.

Man nickt, schüttelt verwundert den Kopf, lacht entzückt, klatscht sich lachend auf die Schenkel.

Ausrufe wie: »Ein rotes Tuch, tatsächlich!«, »Kein Zweifel!«, »Lupus in fabula«, »Wenn man vom Teufel spricht, kommt er!«, »Atlantis ist wieder aufgetaucht!«

Stroheim stellt sich vor die andern hin, als ZAUBERER.

Er stülpt sehr schnell alle seine Taschen nach außen – es handelt sich um sehr weite, helle Taschen – und stellt sich in Positur.

Henny Porten klatscht heftig in die Hände.

Stroheim, als Zauberer, zieht zauberisch schnell die Hausjacke aus, wendet sie und hat sie schon wieder angezogen.

»Es ist also wahr!« ruft Emil Jannings begeistert.

Stroheim zaubert die verkleinerte Nachbildung eines Nudelwalkers aus der Tasche, die jetzt die Stecktuchtasche ist.

»Also nicht nur in Witzen!« ruft Jannings.

Dabei fällt ihm die Zigarre aus dem Mund.

George reicht ihm die Zigarre, er putzt sich die Asche vom Knie, hält plötzlich inne, bemerkt, was er macht, putzt in einem freudigen Ritual weiter:

»›Asche auf dem Anzug‹!«, sagt er. »Wenn ich davon erzähle, wird es mir niemand glauben!«

Alle lachen.

Stroheim zaubert das Stecktuch heraus, ein Wimpel, in Farben, die für keinen bestimmten Staat stehen; er bläst flink auf den Wimpel, daß er FLATTERT.

Jannings: »Tatsächlich: er flattert! Der Wimpel flattert!«

Stroheim steckt die Sachen zu sich, wird zum SCHAUSPIELER: er geht zum Getränketisch, nimmt eine Flasche heraus, tätschelt die Flasche, stützt sich dann mit der einen Hand hinten am Tisch ab.

Jannings übersetzt das ruhig George: »Er tätschelt die Flasche und stützt sich mit der einen Hand hinten am Tisch ab.«

Stroheim stellt sich neben den Tisch, hat die Flasche in der Hand hängen und beginnt zu SCHIELEN.

Jannings zu George: »Er steht mit der Flasche in der Hand neben dem Tisch und schielt.«

Stroheim stellt die Flasche zurück und bewegt sich durch den Raum mit eingezogenen Schultern, macht um jeden Gegenstand einen übertrieben weiten Bogen, besichtigt ihn dabei aber eindringlich.

»Er zieht die Schulter ein, schaut die Sachen an, macht dabei einen Bogen um sie.«

Stroheim kehrt zum Tisch zurück.

Als LEHRER: »Und jetzt die Nutzanwendung: Jemand tätschelt einen Gegenstand oder lehnt sich an ihn?«

George: »Der Eigentümer!«

Stroheim: »Jemand bewegt sich mit eingezogenen

Schultern zwischen Sachen, macht einen Bogen um sie?«

George: »Der Gast!«

Stroheim: »Jemand, der schielt, hält einen Gegenstand in der Hand?«

George: »Der Dieb!«

Jannings: »Jemand tätschelt eine Sache, weil sie ihm gehört: weil jemand eine Sache tätschelt, gehört sie ihm?«

Stroheim: »Es sei denn, Sie widerlegen ihn.«

Jannings: »Jemand, mit einer Sache in der Hand, fängt zu schielen an: weil er sie gestohlen hat?«

Stroheim: »Es sei denn, er beweist seine Unschuld.«

Jannings: »Jemandem zieht es plötzlich (er macht es vor) Mund und Nasenlöcher zusammen: weil er Angst hat und ein Feigling ist?«

Stroheim: »Es sei denn, er beweist durch die Tat das Gegenteil.«

Jannings: »Wenn es aber nichts zu tun gibt?«

Stroheim: »Wovor hätte er sonst Angst?«

Jannings: »Das verstehe ich nicht.«

Stroheim: »Das, worauf Sie sitzen, ist ein Sessel, nicht wahr?«

Jannings: »Ja.«

Stroheim: »Oder ist es vielleicht ein Schwimmreifen?«

Jannings lacht über die Zumutung.

Stroheim: »Genauso lächerlich, wie es Ihnen vorkommt, wenn ich behaupte, daß Sie auf einem Schwimmreifen sitzen, wäre es demnach, zu behaupten, daß sich jemandem (er macht es nach) Mund und

Nasenlöcher zusammenziehen, weil er *Lust* hat, etwas zu tun.«

Pause.

Jannings: »Aber ein Sessel ist ein Sessel, und eine Miene (er macht sie) ist eine Miene. Wie kann man beides vergleichen?«

Stroheim: »Ich werde Ihnen vorführen, wie man beides vergleichen kann.«

Pause.

Man wartet.

Pause.

Stroheim, plötzlich: »Was haben Sie da im Mund?«

Jannings nimmt die Zigarre schnell heraus und drückt sie aus.

Stroheim lächelt: »Warum steht Ihr Kragenknopf offen?«

Jannings schließt behend den Kragenknopf.

Stroheim: »Sie sind so ernst?«

Jannings lacht SCHALLEND.

Pause.

Stille.

Pause.

Jannings, leise: »Sie haben was an Ihrer Nase.«

Stroheim will es schon abwischen, hält inne, leise: »Sie haben verstanden?« Pause.

Jannings, plötzlich laut: »Sie stehen gerade, reichen Sie mir doch die Flasche herüber!«

Stroheim spielt mit, reicht ihm die Flasche.

Jannings: »Nein, nicht die, die andre!« Er zeigt. »Nein, nicht die, um nichts darf man mehr bitten. Ja, die ist es!«

Er reicht ihm die Flasche aber sofort zurück: »Stellen Sie sie an ihren Platz!«

Stroheim, wie ein Lehrer, der einen Schüler spielt: »Warum?«

Jannings: »Weil Sie sie auch weggenommen haben!«

Stroheim nickt, stellt die Flasche zurück.

Jannings: »Nein, nicht dahin. An ihren Platz, sagte ich. Dahin, ja.«

Stroheim: »Warum gerade da?«

Jannings: »Weil sie auch vorhin da gestanden hat.«

Stroheim nickt.

Jannings: »Geben Sie mir noch eine Flasche!«

Stroheim: »Warum?«

Jannings: »Weil Sie mir schon einmal eine Flasche gegeben haben!«

Stroheim: »So ist es gut!« Er gibt ihm die Flasche.

Jannings: »Sie stehen?«

Stroheim will sich auf ein Sofa setzen.

Jannings: »Auf Ihren Platz!«

Stroheim setzt sich auf seinen Platz.

Spielerisch verteilt Jannings die folgenden Rollen:
Er schlägt mit einem kleinen Löffel gegen den Hals der Flasche: George steht auf.

Jannings, ohne ihn anzuschauen: »Radschlagen!«

George steht still.

Stroheim souffliert ihm: »›Warum‹?«

George: »Warum?«

Jannings: »Du hast doch auch vorhin ein Rad geschlagen!«

Pause.

George schlägt ein Rad.

Jannings reicht ihm die Zeitschrift. George versteht diese Sprache noch nicht; er weiß nicht, was damit anfangen; er wirft einen Blick hinein.

Jannings: »Weiterreichen!«

George: »Warum?«

Jannings: »Hast du nicht vorhin die Stecknadel auch weitergereicht?«

Pause.

George reicht die Zeitschrift an Stroheim weiter; der gibt sie ihm zurück, als wären die Blätter durcheinander. George versteht: er ordnet die Blätter und reicht sie wieder an Stroheim; der legt sie auf den Tisch.

Jannings zieht das ZWEITE rote Tuch unter dem Besteck vom Tisch weg und läßt es fallen. Er zeigt mit dem Löffel darauf.

Pause.

Jannings: »Nun?«

George: »Warum?«

Jannings: »Hast du nicht gerade ein Rad geschlagen?«

George: »Aber wie kann man beides miteinander vergleichen?«

Jannings: »Für wen hast du wohl das Rad geschlagen?«

George: »Für Sie –« Er stockt.

Jannings: »›Natürlich‹ wolltest du sagen, nicht wahr?«

George: »Für Sie natürlich.«

Jannings: »Wenn du für mich ein Rad schlagen kannst, dann kannst du für mich auch ein Tuch aufheben.«

Pause.

George will sich nach dem Tuch bücken, stockt: »Wenn ich aber nicht will?«

Jannings: »Jetzt ist es zu spät. Die ganze Zeit hast du getan, was ich dir gesagt habe, und nie etwas gesagt. Du warst bis jetzt zufrieden, sonst hättest du etwas gesagt – warum solltest du also jetzt unzufrieden sein? Du hast die ganze Zeit nicht widersprochen – wie solltest du also jetzt widersprechen dürfen? Nein, was du jetzt sagst, gilt nicht mehr! Tu, was ich dir sage!«

Pause.

George hebt das Tuch auf, will es Jannings reichen, der ihm nicht einmal die Hand entgegenstreckt, stockt, läßt es, »als sei ihm die Hand eingeschlafen«, wieder fallen.

Pause.

Jannings, in vernünftigem Ton: »Schau dir die andern an!« Er wendet den Kopf einmal zu Stroheim, dann zu Henny Porten: Stroheim geht sofort mit der Gitarre, die er im Gehen aus der Hülle zieht, zu Elisabeth Bergner, setzt sich hinter sie auf die Tischkante und schlägt malerisch zwei leise Akkkorde; Henny Porten läßt sich auf Jannings Knie nieder und macht es sich dort bequem.

Jannings: »Wenn *sie* tun, was ich ihnen sage – warum dann nicht auch du?«

Pause.

George: »Aber warum tun sie es?«

Jannings: »Zuerst gehorch! Dann können wir ruhig darüber reden!«

Pause.

Georg reicht ihm das Tuch, das Jannings wiederum Henny Porten malerisch um die Schultern legt und vorn am Hals zusammenknotet.

Jannings, zu ihr: »Nun?«

Sie küßt ihn, ohne dabei den Kopf zu bewegen.

Jannings: »Jetzt frag!«

George: »Warum tun sie das? Warum hören sie auf Sie?«

Stroheim schlägt wieder einen malerischen Akkord.

Jannings: »Weil es ihnen natürlich ist. Sie haben es einmal getan, ohne daß ich etwas gesagt habe, im Halbschlaf oder weil es sich so ergab. Dann sagte ich es, und sie taten es wieder. Dann fragten sie mich: ›Darf ich das für Sie tun?‹, und ich sagte: ›Du sollst!‹ Und von da an taten sie es, ohne daß ich etwas sagen mußte. Es hatte sich eingebürgert. Ich könnte mit dem Fuß auf etwas zeigen, und sie würden springen und es holen! Alles Naturgesetze! Man hat angefangen, miteinander zu verkehren, und es hat sich eingespielt (Elisabeth Bergner, aufs Stichwort, wie im Schlaf sprechend: ›Wie geht es Ihnen, mir geht es gut‹; sie seufzt): eine Ordnung ergab sich, und um weiter miteinander verkehren zu können, machte man diese Ordnung ausdrücklich: man formulierte sie. Und als man sie formuliert hatte, mußte man sich daran halten, weil man sie schließlich formuliert hatte! Das

ist natürlich, nicht wahr? Sprich! Nein, sag nichts, *ich*
spreche jetzt. Rühr das nicht an, es gehört mir! (Er
schiebt einen Leuchter weg) Wage nicht, ihn anzu-
starren, er ist mein Eigentum! Wovon habe ich gesprochen? Hilf mir! Nein, sag nichts. Von den Naturgesetzen! (Er nimmt einen Aschenbecher in die
Hand; läßt ihn dann fallen) Wie dieser Aschenbecher
der Schwerkraft gehorcht, so gehorchst du mir. Nun?
(Er zeigt mit dem Fuß: George stellt den Aschenbecher auf den Tisch zurück) Siehst du? Glaubst du mir
jetzt? Nein, antworte nicht, ich werde für dich antworten. Ja, das mit dem Aschenbecher und der
Schwerkraft stimmt schon, könnte ich mir deine Antwort vorstellen. Weißt du, was der Unterschied zwischen uns beiden ist? (George lacht wie vor einem
Witz) Nein, kein Witz: ich *kann* mir dich manchmal
vorstellen, du *mußt* dir mich immer vorstellen! Warum lachst du nicht? Übrigens, da fällt mir wirklich
ein Witz ein: wie heißt der Erfinder des Stuhls? Nun?
Nichts? Ich werde dir helfen: Wie heißt der Erfinder
des Zeppelin? (Pause. Er lacht auffordernd) Du
lachst nicht. Auch gut! Aber ich werde es mir merken!
Wo war ich stehengeblieben? Hatte ich dich nicht ge-
beten, mich daran zu erinnern, über was ich noch reden wollte? Habe ich dich nicht nicken sehen? Dann
habe ich mir nur vorgestellt, dich nicken zu sehen!
Einmal dachte ich an ein Gespräch mit jemandem,
und ich erinnerte mich genau, wie er bei einer Antwort gelächelt hatte, und dann fiel mir ein, daß ich
mit ihm ja am Telefon geredet hatte! Die Naturgesetze! Die Eisenbahnzüge! Das Meer! Er stand da,

wo du jetzt stehst! (George tritt wie erschrocken zur Seite, Jannings lacht auf, läßt den Aschenbecher wieder fallen) Gern würde ich ihn für dich aufheben, aber ich bin selber an das gebunden, was ich gesagt habe, (zu Henny Porten) nicht wahr? (Sie nickt) Ich kann nicht reden und dann etwas anderes tun als was ich geredet habe. Unvorstellbar! Das wäre eine verkehrte Welt. Verstehst du das? (Henny Porten will sich rückwärts nach dem Aschenbecher strecken) Halt, das ist *seine* Sache! (George legt den Aschenbecher auf den Tisch, Stroheim berührt wie unabsichtlich die Gitarre: ein leiser Akkord) Du verstehst also. Wie die Eisenbahnzüge einem Fahrplan gehorchen müssen, damit es zu keiner Unordnung kommt, so mußt auch du mir gehorchen. Das mit dem Fahrplan und den Zügen stimmt schon, sagst du? Wage es, mir das zu sagen! Schweig! Antworte! (George will reden) Geschenkt! Wie eine Made, die über den Handteller kriecht – nein, das gehört woandershin. Das Meer! Woran denkst du gerade? Du kannst es nicht sagen? Dann denkst du an nichts! Einmal habe ich einige Zeit am Meer gelebt, und seit ich dort lebte, in welchen Kategorien, glaubst du, begann ich zu denken? In den Kategorien von Ebbe und Flut! Und so ist es allgemein: (wie ans Publikum) die Art, wie man denkt, wird bestimmt von Naturgesetzen! (Wieder an George) Seit ich zum Beispiel Waldspaziergänge mache, denke ich auch sonst beim Anblick von Stark und Schwach in den Gesetzen der Natur. Und seit ich es verstehe, Speisekarten zu lesen (er schiebt Henny Porten von den Knien, und sie läuft schnell zum

Sofa, schmiegt sich hinein, und er schaut zu ihr hin)
– denke ich, ob ich will oder nicht, über Frauen in den
Kategorien von Vorspeise und Hauptspeise. (Sie
schaut ihn an, wobei man ihren Blick mehr SPÜRT als
ihn sieht) Sie will es nicht anders – frag sie selbst! Sie
wird es dir vorführen! (Er schnippt ihr zu, und sie
sagt, wie auswendig gelernt, ein paar Fragen auf:
›Spreche ich dir zuviel? Habe ich dir zu spitze Knie?
Bin ich dir zu schwer? Ist dir meine Nase zu groß?
Bin ich dir zu vernünftig? Bin ich dir zu laut? Sind
dir meine Brüste zu klein? Bin ich dir zu fett? Bin
ich dir zu schnell? Bin ich dir zu mager? War ich
gut?‹) Du siehst, sie selber sorgt für die Kategorien,
in denen man von ihr denkt. (Zu Henny Porten:)
He! (Sie kommt zurück und läßt sich auf seinen
Knien nieder) Wenn *ich* gerufen wurde, sagte ich zunächst einmal nur: ›Ja!‹ Es konnte schließlich sein,
daß man nur wissen wollte, ob ich noch da war. Wo
waren wir? (George hält sich die Hand an den Hinterkopf, läßt sie wieder sinken) Halt! Mach diese Bewegung noch einmal! (George macht die Bewegung
noch einmal) Sie erinnert mich an etwas! Langsamer!
(George macht die Bewegung noch einmal) Der Hut!
Kennst du das Lied ›Mein Hut, der hat drei Ecken‹?
Es ist ein Volkslied. (Er sagt es ernst auf) ›Mein Hut,
der hat drei Ecken/Drei Ecken hat mein Hut/Und
hätt' er nicht drei Ecken/So wär' er nicht mein
Hut‹: seitdem ich dieses Lied kenne, ist es mir nicht
mehr möglich, mir dazu einen Hut vorzustellen! Ein
dreieckiger Hut: eine unmögliche Vorstellung! Ein
Hut: eine unmögliche, eine unerlaubte Vorstellung!

Einmal befahl ich (oder erlaubte ich?) einen Kuchen anzuschneiden. ›Wo?‹ wurde ich gefragt. Seitdem kann ich mir keinen Kuchen mehr vorstellen: man will in Gedanken einen Kreis zeichnen, aber man weiß nicht, wo man mit der Vorstellung anfangen soll. Schließlich gibts im Gehirn ein Geräusch, wie wenn beim Kochen ein Ei platzt. Still! Schweig! Ich kann mir denken, was du sagen willst! Der Kreis! Ich werde schwindlig, wenn ich mir einen vorstellen soll. Und wenn ich schwindlig werde, packt mich die Wut. Ein Beispiel: jemand fragt mich, wie spät ist es. Kannst du dir vorstellen, daß jemand keine Uhr hat? Ich kann es jedenfalls nicht. Schwindel und Zorn! Oder: jemand sieht ›verzweifelt‹ aus, fängt viele Arbeiten an, hört aber mit allen sofort wieder auf. Kannst du dir vorstellen, daß jemand noch ernsthaft verzweifelt ist? Schwindel! Schwindel und Zorn! Oder jemand schämt sich? Schwindel und Zorn, Schwindel und Zorn! Umgekehrt: jemand schämt sich für einen andern? Ich für dich? Sofort! Du kannst dir nicht vorstellen, daß ich mich für dich schäme? (Er stößt die Zigarrenkiste vom Tisch, daß die Zigarren zuhauf herausfallen, setzt Henny Porten in ihr Fauteuil, stellt sich vor George auf und gibt ihm eine Ohrfeige, indem er ihm wie bei einer Ohrfeige im Spiel beide Hände vor dem Gesicht zusammenschlägt, und setzt sich wieder) Wie Schokolade und Seife – ja, wie Schokolade, die neben einem Stück Seife liegt! Ich habe mich jedenfalls noch nie geschämt – außer eben jenes eine Mal, als ich zwei Gefühle, die ich für jemanden hatte, mit Schokolade und Seife verglich. Und dann noch einmal (Pause), und dann die Geschichte mit der Made auf dem Handteller (Pause), und dann einmal, als ich gefragt wurde: ›Wer ist das?‹, und antwortete: ›Die? Ja, sie ist sehr rührend, nicht?‹ (Pause), ja und dann noch einmal (er lacht schamvoll in Erinnerung), und dann, als ich einmal sagte: ›Anwesende natürlich ausgenommen!‹, und dann einmal, als ich sagen hörte ›Sie ist häßlich!‹ und antwortete: ›Aber sie hat schöne Augen!‹ (Pause), und dann noch das eine Mal, als ich das Streichholzheftchen auf den Verkaufstisch legte und der Verkäufer mich fragte: ›Sind *Sie* das?‹ (Pause; verwundert) Eigentlich habe ich mich doch schon oft geschämt. (Pause, zu Erich von Stroheim) Soll ich *ihn* dazu bringen, daß er sich schämt?«

Stroheim schlägt auf den Resonanzkörper der Gitarre und spreizt die Finger: »Aber daß nicht Sie dabei von *ihm* beschämt werden!«

Jannings wendet sich George zu: »Sieh her!«

Er nimmt nacheinander verschiedene Gegenstände vom Tisch oder aus der Tasche und hält sie vor George hin.

George starrt jeweils wie hilflos darauf.

Schließlich zeigt ihm Jannings einen Geldschein, WINKT damit, und George greift schnell danach.

Jannings lacht.

»Diese Sprache versteht er! Diese Sprache versteht er!«

Er lacht wieder. Pause. Beide senken den Kopf.

Jannings kratzt sich einmal heftig. Plötzlich zeigt er zornig auf die Zigarren: »Was ist das?«

George: »Zigarren.«

Jannings: »Und was soll das? Sammle sie auf!«

George bückt sich.

Jannings kichert: »Kannst du dir noch vorstellen, etwas anderes zu tun als was ich dir sage?«

George versucht es sich vorzustellen.

Er fängt schließlich auch zu kichern an, hört wieder auf und versucht es noch einmal.

Jannings: »Stell dir vor, du sitzt an meiner Stelle!«

George schaut zu ihm auf. Er fängt zu kichern an.

Jannings kichert auch, aber anders.

Er schaut um sich.

Auch Henny Porten kichert.

Stroheim lächelt.

Elisabeth Bergner ist abwesend.

George sammelt die Zigarren ein, legt sie sorgsam in die Kiste zurück.

Jannings beobachtet ihn und erzählt dabei eine Geschichte:

»Einmal – (zu Henny Porten: ›Was grinst du?‹ Henny Porten: ›Ich grinse nicht, ich lächle!‹ Jannings: ›Hör auf zu zappeln!‹ Henny Porten: ›Ich zapple nicht, ich setze mich zurecht!‹ Jannings: ›Maulhalten!‹ Henny Porten: ›Ich habe kein Maul!‹ Jannings hat sich schon wieder seiner Geschichte zugewendet) hatte ich einen schlechten Tag, du weißt ja, wie das ist (Georg nickt): am Kaffee verbrannte ich mir die Zunge; wie ich das Schuhband knüpfe, habe ich plötzlich zwei Stücke in der Hand, du weißt ja, wie das ist (George nickt); ebenso plötzlich – warum ›ebenso plötzlich‹? Egal! Jedenfalls, wie ich mir die Sachen aufschreibe, die ich mir vornehmen will, bricht mir plötzlich der Bleistift ab. Ich suche einen andern Stift – nein, nicht, was du denkst: er schreibt, aber ich merke auf einmal, daß ich über Nacht einen Buchstaben anders schreibe, mit einem Schnörkel, wo ich nie im Leben einen Schnörkel gemacht habe! Du weißt ja, wie das ist. (George nickt, aber erst, als Jannings ihn angeschaut hat) Damit nicht genug, sehe ich plötzlich vor mir eine Frau rasend auf Eierschalen herumtrampeln. Ich reiße sie zurück, an den Haaren, du weißt ja, wie das ist. Dabei stellt sich heraus, daß sie die Schalen absichtlich zerkleinert, für die Vögel. Benommen gehe ich weiter und erblicke einen andern Verrückten. Er steht auf einem Grundstück und rennt die ganze Zeit hin und her, und um ihn hat sich schon ein Kreis von Leuten gebildet. Dann stellt sich heraus, daß es gar kein Verrückter ist, sondern der Besitzer des Grundstücks, der die Leute davon abhalten will, seinen Grund zu betreten. Noch benommener gehe ich weiter und bin in Gedanken bei einer Gans, die ich gerade tranchiere, äußerst bedacht, du weißt ja, wie ich bin, keine Fettflecken auf meinen Anzug abzukriegen, als mich jemand von hinten am Arm packt. Trotz, oder gerade *wegen* meiner Benommenheit – (er schmunzelt: ›Immer wenn ich TROTZ sage, muß ich ODER GERADE WEGEN dazusagen!‹) schnellte ich herum und gab diesem Jemand eine Ohrfeige. Die Hand ist mir ausgerutscht, du weißt ja, wie das ist: ich glaubte nämlich, jemand mit fettigen Fingern griffe mich an. Plötzlich

— ja, schon wieder PLÖTZLICH, jener Tag verging wie
in Sprüngen – stand ich vor einem Köter, der mit
bibberndem Hinterteil am Straßenrand hockte – BIB-
BERND: das habe ich noch nie verwendet! – und seinen Haufen machen wollte, du weißt ja, wie das ist.
Ich, nicht faul – (zu George, der stockt: ›Laß dich
durch mich nicht von der Arbeit abhalten!‹) verset-
ze ihm einen Tritt – (Henny Porten: ›Nicht weiter-
erzählen, bitte: ich möchte nicht davon träumen müssen!‹ George: ›Ich war auch einmal in Gedanken bei
einem kleinen Kind und einem Bügeleisen, und als
ich plötzlich jemanden nach der Türklinke greifen
sah, schrie ich ihn an: NICHT ANFASSEN!‹ Jannings:
›Du kannst reden und dabei die Zigarren GLEICH-
MÄSSIG stapeln?‹ George arbeitet schweigend weiter,
Jannings redet weiter) und ging nach Hause. Zum
Glück wurde es schnell Nacht, wie immer in den Tro-
pen – so heißt es doch in allen Erzählungen, nicht
wahr? – und wie ich langsam die Tür aufmache, ra-
schelt es leise dahinter. (LANGSAM und LEISE gehören
meistens zusammen!) Ich feuerte sofort durch die Fül-
lung – dabei hatte ich doch selber die Zeitung ausge-
breitet, damit die Einbrecher erschraken, wenn sie die
Tür aufmachten. Ein schlimmer Tag! Später im
Schaukelstuhl nickte ich ein. Plötzlich erwache ich und
sehe den Hund an mir vorbeilaufen. Ein schneller
Schlag mit der Reitgerte – du weißt, wie das ist?
(George nickt) Aber es waren meine eigenen Füße:
als ich aufschreckte, hatte ich meine schwarzen Socken
für den Hund angesehen.«

Pause.

Jannings: »Du sagst nichts?«

George: »Ich habe nicht das Bedürfnis, etwas zu sagen.«

Jannings: »Es genügt, daß ich das Bedürfnis habe, etwas von dir zu hören.«

George: »Wenn ich aber das Bedürfnis habe zu schweigen?«

Jannings: »Dann mußt du dir sagen, daß es in bezug auf die Bedürfnisse darauf ankommt, zu lernen, das Bedürfnis zu haben, das zu tun, was du ohnehin tun mußt.«

Pause.

Jannings: »Sag was!«

Pause.

George: »Aber was wollten Sie mit der Geschichte beweisen? Sie werden doch die Geschichte nicht erzählt haben, nur um eine Geschichte zu erzählen?«

Jannings: »Ich habe sie erzählt, damit du weißt, wie es ist, wenn ein Tag vergeht, ohne daß man bei der Sache ist.«

George: »Bei welcher Sache?«

Jannings: »Bei der Arbeit.«

George: »Sie arbeiteten damals nicht?«

Jannings: »Ich arbeitete wohl, aber ich war nicht bei der Sache.«

George: »Und wie ist es, wenn man bei der Arbeit nicht bei der Sache ist?«

Jannings: »Ich erzählte es dir: schnelle Dunkelheit, ein Rascheln hinter der Tür, fremde Hunde im Zimmer!«

George: »Und wie ist es, wenn man bei der Arbeit bei der Sache ist?«

Jannings: »Sie wird zum Spiel.«

George: »Und wie kommt man dazu, daß man bei der Arbeit bei der Sache bleibt?«

Jannings: »Man muß sich vorstellen, sie sei ein Spiel.«

George: »Und wer bestimmt das Spiel?«

Jannings: »Der es spielt: der arbeitet.«

George: »Ist das so, oder muß man es sich vorstellen?«

Jannings: »Wenn man bei der Sache ist, ist es so.«

George: »Wenn man aber nicht bei der Sache ist, muß man sich das erst vorstellen?«

Jannings: »Wenn man nicht bei der Sache ist, kann man sich das nicht vorstellen. Statt dessen: schnelle Dunkelheit, ein Rascheln hinter der Tür –«

George: »Ich bin aber nicht bei der Sache.«

Jannings: »Ich werde es dir zeigen.«

Er steht auf und legt eine Zigarre in die Kiste, mit spielerischen Bewegungen, mit einem Fingertanz.

Er setzt sich: »Für mich ist die Arbeit Spiel.«

George: »Es ist ja auch nicht *Ihre* Arbeit. Wohl aber ist es Ihre *Sache*. Und an Ihnen ist es, mir zu sagen, wie *meine* Arbeit an *Ihrer* Sache ein Spiel genannt werden kann. Ich, der ich nicht bei der Sache bin, kann – Sie haben recht – es mir nicht vorstellen.«

Pause.

Jannings: »Du mußt die Arbeit wie eine Wette betrachten: wer schneller, wer eleganter, wer gründlicher – dann gibt es Gewinner und Verlierer.«

George: »Mit wem aber soll ich wetten, wenn ich allein bin?«

Jannings: »Mit dir selber.«

George: »Ob ich schneller bin als ich?«

Jannings: »Keine Ironie! Die kannst du dir erlauben, wenn du mit der Arbeit fertig bist. – Hast du nicht zwei Hände?«

George: »Versteht sich.«

Jannings: »Welche Hand ist geschickter?«

George: »Die rechte wohl.«

Jannings: »Dann wette mit dir und versuch es.«
Pause.

George fängt an, mit der Linken, dann mit der Rechten die Zigarren in die Kiste zurückzulegen.

Er wird immer schneller, gerät in eine ARBEITSWUT.

Er ist fertig und stellt die Kiste auf den Tisch.

Jannings: »Welche Hand hat gewonnen?«

George schweigt.

Plötzlich sagt er: »Wetten wir etwas anderes!«

Jannings: »Gut, wetten wir!«

George zeigt auf Henny Porten: »Sie legen sie übers Knie und schlagen sie.«

Jannings: »Und wie geht die Wette?«

George: »Legen Sie sie zuerst einmal übers Knie.«

Jannings legt Henny Porten übers Knie.

George: »Sie schlagen sie mit der Reitgerte schnell hintereinander eine Minute lang. Den Mund halten Sie dabei geschlossen. Wenn Sie den Mund aufmachen, haben Sie verloren.«

Jannings: »Die Wette gilt.«
Pause.

Er beginnt sie heftig zu schlagen, aber schon nach einigen Schlägen weichen ihm die Lippen auseinander.

Er läßt erschrocken von ihr ab und setzt sich, kneift die Lippen zusammen. Er streicht sich über die Stirn.

George setzt sich auch.

Pause.

Stroheim berührt wie zufällig die Gitarre.

Ein sehr leiser Laut.

Pause.

Er lacht auf.

Jannings öffnet den Mund wie zu einem Brüllen und will auf den Tisch schlagen. Er schließt den Mund sofort wieder und läßt die Faust sinken, öffnet die Finger.

Er sagt: »Ich glaube –« Er hört sofort wieder zu reden auf.

Er will nach etwas greifen, hält aber mitten in der Geste inne und läßt die Hand wieder fallen.

George, zu Henny Porten: »Am besten, Sie stellen sich alles gleich noch einmal vor: dann brauchen Sie später nicht davon zu träumen –«

Henny Porten lächelt: »Vom Wasser und vom Wahnsinn, von –«

Zur gleichen Zeit wollte auf der andern Seite Stroheim etwas sagen: »Ich hatte starke –«

Sie brechen beide ab.

Pause.

Dann wendet sich Henny Porten wieder an George: »Vom Wasser und vom Wahnsinn, von den Narrenschiffen auf den großen Flüssen, wo –«

Und wieder gleichzeitig hat Stroheim wie zu Elisabeth Bergner gesagt: »Ich hatte starke Angst. Ich hatte starke Angst um –«

Pause.

Jannings deutet auf Stroheim, während er zu Henny Porten hinschaut: »Er ist dran.«

Pause.

Stroheim, wie im Spiel zu Elisabeth Bergner: »Ich hatte so starke Angst um Sie, daß ich plötzlich auflachte. Sie saßen da und bewegten sich nicht. Nur Ihre Halsschlagader pulste.«

Elisabeth Bergner: »Ich habe nicht zugehört.«

Er beugt sich über sie, aber so, daß sie sein Gesicht *verkehrt* sehen muß.

Sie öffnet die Augen, ein kleiner Entsetzenslaut, er dreht seinen Kopf, daß sie sein Gesicht wieder normal sieht, und sie wird sofort ruhig und schaut auf die Gitarre: »Ist die für mich?«

Stroheim stockt, reicht sie ihr.

Elisabeth Bergner: »Und was muß ich dafür tun?«

Sie dreht die Gitarre, wie man ein Geschenk dreht, reicht sie dann zurück.

Stroheim legt sie auf den Tisch.

Er streicht Elisabeth Bergner mit dem Finger über den Hals.

Pause.

Sie schlägt auf seine Hand. »Berühren Sie mich nicht!«

»»Warum?«« souffliert Jannings.

Stroheim: »Warum lassen Sie sich berühren? Sie haben sich doch auch früher berühren lassen?«

Elisabeth Bergner: »Schauen Sie mich nicht an!«

Stroheim: »Vorhin haben Sie mich zärtlich angeschaut!«

Elisabeth Bergner: »Das heißt, daß ich Sie auch jetzt ›zärtlich anschauen‹ soll?«

Stroheim stellt sich vor sie hin. Sie schaut weg: »Jedesmal, wenn ihr zu reden anfangt, glaubt man, ein Bettler wolle einen ansprechen.«

Stroheim: »›Ihr‹?«

Elisabeth Bergner: »Ja, Sie auch.«

Stroheim: »Geben Sie mir Ihre Hand.«

Elisabeth Bergner: »Wozu?«

Stroheim ergreift ihre Hand.

Elisabeth Bergner: »Sie können handlesen?«

Stroheim streicht über ihr Haar.

Elisabeth Bergner: »Ich weiß, ich bin schlecht frisiert.«

Er sagt: »Sie sind schön.«

Elisabeth Bergner: »Haben Sie vielleicht meine Handtasche irgendwo gesehen?«

Er legt ihr eine Halskette um: »Was bekomme ich dafür?«

Elisabeth Bergner: »Warum verderben Sie mir alle Freude an der Kette?«

Stroheim: »Was kann ich tun, damit Sie aufhören, mich zu verachten? Ist es meine Art, mich zu bewegen, die Ihnen mißfällt? Ist es mein Haaransatz? Ist es meine Kopfhaltung, die Sie wegsehen läßt? Ekelt es Sie vor den Haaren auf meinen Händen? Finden Sie es übertrieben, wie meine Arme beim Gehen auf und abschwingen? Spreche ich Ihnen zuviel?«

Henny Porten, als Zuschauerin, lacht weiter weg auf.

Pause.

Wie am Telefon: »Sind Sie noch da?«

Sie sieht ihn an.

Stroheim: »Wo waren Sie? Sagen Sie doch etwas! So sag doch etwas! Kommen Sie zurück! Sie waren so schön, daß es schmerzlich war, Sie anzusehen; so schön, daß ich plötzlich starke Angst um Sie hatte. So schmerzlich schön waren Sie, daß Sie mich, den plötzlich Lebendigen, schrecklich *allein* zurücklie-ßen. Sie sagten nichts, und ich sprach zu Ihnen, wie man zu gerade Gestorbenen redet: so sagen Sie doch etwas, so sag doch etwas! Kannst du es dir vorstel-len?«

Pause.

Elisabeth Bergner: »Jetzt nicht mehr. Einen Augenblick lang – (Pause) nein. Es ist vorbei.«

Stroheim: »Hören Sie nicht auf zu sprechen, ich habe Angst, einzubrechen, wenn Sie aufhören zu re-den. Im Augenblick ist meine Zärtlichkeit für Sie so heftig, daß ich Sie schlagen möchte.«

Pause.

Er schlägt sie.

Sie steht auf.

Er starrt sie an. Sie läßt sich anstarren.

Aus der langen Starre heraus bewegt sie sich lang-sam und geht vor ihm auf und ab. Aus ihren gleiten-den Bewegungen dreht sie sich jeweils ruckhaft um, stützt die Hand in die Hüfte, streckt sich locker, läßt die Arme fallen, streift, während sie sich so bewegt, mehrere Gegenstände, stützt sich überall ab, schwingt sich einmal zu ihm herum, bleibt vor ihm stehen, während sie sich das Halsband abnimmt.

Sie steht da, als sei sie gerade zu einer Tür hereingekommen und hätte sich an die Tür gelehnt.

Sie streichelt ihn mit dem Halsband und läßt es zurück in seine Tasche fallen.

Sie schaut ihn an: »Nicht bewegen!«

Er will sie berühren, sie steht lächelnd still, er stockt einen Augenblick, berührt sie jetzt am Nacken und will sie an sich ziehen, aber jetzt ist es einen Augenblick zu spät, ihr Nacken widersteht ihm, sie schüttelt mit der Schulter seine Hand ab und tritt zurück.

Elisabeth Bergner: »Warum schauen Sie mich nicht gleichgültig an?«

Stroheim: »Dazu müßte ich mir vorstellen, daß Sie mir gehören.«

Elisabeth Bergner: »Dann stellen Sie es sich vor.«

Stroheim: »Wo soll ich anfangen mit der Vorstellung?«

Elisabeth Bergner zeigt auf die Gitarre: »Gehört ›das‹ Ihnen?«

Sie schiebt es verächtlich weg.

Stroheim: »Je länger ich Sie anschaue, desto gespenstischer kommen Sie mir vor.«

Elisabeth Bergner: »Und mit jedem Ihrer Gefühle, die Sie mir beschreiben, nehmen Sie mir ein mögliches weg.«

Stroheim: »Ich beschreibe Ihnen nicht meine Gefühle!«

Elisabeth Bergner: »Aber Sie *bedeuten* sie mir. Und jedesmal, wenn Sie mir Ihre Liebe bedeuten, stumpfe ich mehr gegen Sie ab und schrumpfe zusammen. Ihre Gefühle rühren mich, aber ich kann auf sie nichts antworten, das ist alles. Anfangs liebte ich Sie, Sie waren so ernst. Es fiel mir auf, daß man sonst nur von einem Kind sagen kann, daß es ›ernst‹ sei. Außerdem (sie lacht) aßen Sie schön! Sie aßen wirklich schön! Und als ich einmal sagte: ›Ich bin naß geworden bis auf die Haut!‹, sagten Sie: ›Bis auf *Deine* Haut!‹ Wenn ich darüber spreche, liebe ich Sie fast wieder. (Sie umarmt ihn plötzlich, tritt aber sofort noch weiter zurück) Aber ich brauche das nur zu sagen, und ich werde sofort unempfindlich. Die ganze Zeit redeten Sie, und ich vergaß Sie immer mehr. Dann schreckte ich auf, und Sie waren immer noch da ... Ganz fremd, redeten Sie doch schamlos vertraut mit mir, wie zu jemand am Ende eines Films. Verstehen Sie? Ich bin tabu für Sie! Plötzlich war ich tabu für Sie. Zwei Sekunden! Zwei Sekunden Schmerz, das wird es mir später bedeuten, Sie geliebt zu haben! (Pause) Ich bin nicht enttäuscht, ich bin nicht schwermütig, ich bin Ihrer nur müde. (Sie bewegt sich unmerklich unter ihrem Kleid) Ich habe Ihnen soviel Unrecht getan!«

Stroheim: »Was für ein Unrecht?«

Elisabeth Bergner: »Das Unrecht, Sie zu lieben.«

Henny Porten klatscht plötzlich heftig, George lacht anzüglich, Stroheim und Elisabeth Bergner lösen sich langsam von der Stelle und fangen an, in verschiedenen Richtungen ziellos umherzugehen.

Pause.

Emil Jannings beginnt eine Geschichte: »Kürzlich sah ich eine Stewardeß, aber eine häßliche –«

Stroheim unterbricht ihn: »Reden wir von etwas anderem!«

Emil Jannings beginnt eine andere Geschichte: »Vor noch nicht langer Zeit sah ich eine Frau auf der Straße stehen, keine Nutte, muß ich dazusagen –«

George unterbricht ihn: »Was andres!«

Jannings: »Es ist weniger als eine Woche her, da sah ich hinter einem Bankschalter jemanden mit einer ziemlich langen Nase. Als ich mit ihm sprach, stellte sich aber heraus, daß er trotzdem –«

Henny Porten und Elisabeth Bergner unterbrechen ihn:

»Wechseln wir das Thema!«

Jannings: »Also gut. Es sind noch keine fünf Minuten vergangen, da sprach mich im Park ein Mann an, nein, kein Schwuler –«

Er wird unterbrochen von einem Mädchen, das von rechts auf die Bühne kommt, mit einem Koffer in der Hand.

ALICE KESSLER.

Sie trägt ein Nachmittagskleid und schaut aus, als hätte sie sich in diese Vorstellung verirrt.

Sie stellt den Koffer ab, fängt aber unerhört selbstverständlich zu reden an:

»Seid ihr's? Bin ich recht hier? Ich hörte euch von weitem reden und kam herein. Die Geräusche, die ich hörte, waren so einladend, Stimmen und Lachen, was gibt es Schöneres? Was zeigt ihr euch da, ich

134

möchte auch etwas sehen! Was tuschelt ihr da, ich möchte auch etwas hören!«

Sie wirft Stroheim ihren Hut zu.

Stroheim ist so verstört, daß er ausweicht statt ihn aufzufangen.

Alice: »Wie geht es euch?«

Pause. Alle sind wie erstarrt.

Alice: »Wie geht es euch?«

Elisabeth Bergner löst sich plötzlich und bewegt sich von der Stelle. Sie probiert ihre Antwort: »Gut? Gut. Gut! Uns geht es gut. Doch! Uns geht es gut!«

Pause. Sie probt weiter, wieder NORMAL zu reden: »Und wie – und wie geht es dir?«

Alice antwortet ganz selbstverständlich: »Auch mir geht es gut. Zwar zittert mir noch die Hand von dem schweren Koffer, und in den Knien bin ich noch ein wenig schwach, weil ich nicht gewohnt bin, in Stöckelschuhen zu gehen, aber all das kann ich verschmerzen über der Freude, euch zu sehen. Was tut ihr hier?«

Elisabeth Bergner freut sich, so einfach antworten zu können: »Wir unterhalten uns.«

Alice: »Und jetzt wißt ihr nicht weiter?«

Elisabeth Bergner: »Vielleicht.« Sie stockt: »Ja. Ja!«

Alice: »Guten Tag!«

Elisabeth Bergner: »Guten Tag!«

Alice, zu den andern: »Guten Tag!«

Sie heben verwirrt die Köpfe. Wie erwachend, noch im Halbschlaf, als wüßten sie noch nicht, was sie sagen, sagen sie nach und nach: »Guten Tag!«

Dann begreifen sie, was sie gesagt haben, und leben auf.

Das Bühnenlicht wird allmählich wieder zu einem Morgenlicht.

Alice: »Wie spät ist es?«

George stößt Jannings in die Hüfte.

Jannings, schon wieder wie im Schlaf: »Haben Sie denn keine Uhr?«

Er schreckt auf: »›Wie spät ist es‹? Natürlich: wie spät ist es? Ja, wie spät ist es denn? Das hättest du gleich sagen können!«

Er klappt vor Alice Kessler seine Taschenuhr auf.

Sie sagt: »Danke!«, und er klappt die Uhr wieder zu.

Jannings, nach einer Pause: »Bitte.«

Er breitet die Arme aus wie über eine gefundene Lösung und spielt mit seiner Antwort: »Bitte!«

Zu George: »Fragen Sie mich, wie spät es ist!«

George, heiter: »Wie spät ist es?«

Jannings hält ihm die Taschenuhr hin.

George: »Danke!«

George klappt die Uhr zu: »Bitte!«

George, heiter: »Danke!«

Jannings, fröhlich: »Aber ich bitte Sie: nichts zu danken!«

Alice Kessler reicht ihm die Hand. Er schlägt sofort ein.

Sie reicht auch George die Hand, und er schlägt sofort ein.

Sie reicht Henny Porten die Hand, und die ergreift sie dankbar.

Auch Erich von Stroheim versteht und ergreift ihre Hand.

Sie zieht sich nun die Handschuhe von den Fingern, wobei alle sie neugierig betrachten.

Sie reicht sie Stroheim, und er nimmt sie ihr ab.

Er hebt jetzt auch den Hut auf und wirft ihn spielerisch George zu.

George fängt ihn und legt ihn auf den Tisch.

Stroheim legt die Handschuhe dazu.

Alles klappt!

Elisabeth Bergner läßt sich wie beruhigt nieder.

Alice zu Stroheim: »Was hast du da in der Hand?«

Stroheim öffnet die Faust: »Ein Halsband. Ja, ein Halsband!«

Alice: »Es ist schön!«

Eine Stimme aus den Kulissen: »Es ist *nicht* schön!«

Von links tritt jetzt ELLEN KESSLER auf, ebenfalls mit einem Koffer, genauso gekleidet wie Alice.

Sie wirft Stroheim ihren Hut zu, zieht dann ihre Handschuhe ab und reicht sie ihm.

Er legt beides auf den Tisch und fragt sie: »Du möchtest es also haben?«

Alice antwortet: »Ja.«

Er wendet sich Alice zu und legt ihr das Halsband um.

Sie räkelt sich darunter.

Ellen fängt an, umherzugehen. Sie geht mit den gleichen Bewegungen umher wie früher Alice, gibt allen noch einmal die Hand und sagt: »Guten Tag!«

Man antwortet ihr – jedenfalls die ersten zwei – jeweils nach einer Pause, lacht dann einander zu wie über einen Witz.

George nimmt hinter ihrem Rücken zuerst eine Zigarre aus der Kiste, zeigt sie Jannings; dann nimmt er eine zweite heraus: sie lachen lautlos; schließlich zeigt George Jannings eine dritte Zigarre, und Jannings wird ernst und schaut nach links und nach rechts, aber niemand kommt mehr.

Ellen tippt inzwischen Stroheim zur Begrüßung auf die Schulter. Er spricht gerade zu Alice: »Wie kommt es, daß ich so sicher bin, dich schon gesehen zu haben, sooft ich dich anschaue, obwohl, wenn ich es ausspreche (er dreht sich, da sie ihn auf die Schulter getippt hat, zu Ellen um und spricht wie selbstverständlich zu ihr weiter), es mir als die übliche Floskel erscheint?«

Sie reicht ihm die Hand, und er beugt sich darüber.

Sie fährt zurück, und Alice sagt: »Er hat mich gebissen!« ohne sich dabei zu bewegen, während Ellen die entsprechenden Gesten ausführt.

Stroheim zu Alice: »Ich war in Gedanken dabei, mich selber in den Arm zu kneifen.«

Alice, bewegungslos: »Schon vergessen.«

Stroheim: »Schon vergessen?«

Alice: »Du fragst immer, warst du zu lange allein?«

Stroheim: »Warum?«

Ellen: »Oder hast du zuviel gearbeitet?«

Stroheim: »Warum?«

Alice: »Oder stellst du nur Gegenfragen, um für

die Antwort Zeit zu gewinnen? Weil du dir eine Lüge ausdenkst? Weil du inzwischen so aufgelöst bist, daß du, ohne zu lügen, nicht mehr antworten kannst? ›Ich kam ruhig herein, und ihr saßt aufgelöst da, aber ihr schautet mich an, als ob *ihr* bis dahin ruhig gewesen wärt, und *ich*, indem ich so plötzlich hereinkam, eigentlich aufgelöst aussehen müßte.‹«

Stroheim: »Wovon redest du?«

Ellen: »Von dir. Ich wollte dir nur zeigen, wie du redest.«

Sie lehnt sich hinten an ihn, schiebt ein Bein durch seine Beine.

Er schaut an sich herab.

Sie legt die Arme um seinen Hals.

Alice winkt ihm mit einem Finger.

Ellen verdoppelt die Geste, indem sie von hinten die Hand vor sein Gesicht hält und ebenfalls den Finger krümmt.

Er will einen Schritt vor tun, sich aber gleichzeitig zurücklehnen, bleibt stehen.

Stroheim: »Ich rede, wie ich will.«

Ellen legt ihm die Hände über die Augen.

Alice: »Dann sag was.«

Stroheim öffnet den Mund und schließt ihn. Er macht mit den Händen Bewegungen, als suchte er etwas, das ihm immer wieder entschlüpft.

Er stammelt, bringt, sooft die Hand etwas zu ergreifen scheint, immer wieder ganze Silben heraus: »sei, was, un, fe«, greift dann nach, und es entwischt ihm wieder, und er stammelt weiter.

Ellen nimmt die Hände von seinen Augen, und er

beruhigt sich sofort und sagt: »Ich kann nicht: es ist, als ob man unter Wasser nach einem Stück Seife sucht.«

Alice: »Was?«

Stroheim: »Schon vergessen. Als du mir die Augen zuhieltest, hatte ich es ganz klar vor mir, aber jetzt habe ich es vergessen.« Er stockt: »›Schon vergessen‹! Das war es! Du sagtest: ›Schon vergessen!‹, und ich erinnerte mich an etwas, aber an was? Es entschlüpfte mir immer wieder, und ich hatte ein Gefühl, als ob ich unter Wasser nach einem Stück Seife suchte –«

Er macht obenhin eine Geste, schnüffelt plötzlich an den Fingern, wiederholt die Geste.

Pause.

Ellen: »Vielleicht fällt es dir ein –«

Alice: »– wenn du mir zuschaust?«

Ellen, mit schmeichelnder Stimme, zweideutig: »Vielleicht, wenn du mir zuschaust, fällt dir auch ein, wo du mich hintun sollst – (sie lacht) wo du mich hingetragen hast – (sie lacht) damals, erinnerst du dich? – (sie lacht) und es fällt dir auch ein, was du jetzt mit mir tun sollst.« Sie lacht.

Da sie hinter ihm steht, sieht man sie nicht reden, wohl aber bewegt Alice die Lippen und macht die dazugehörigen Gesten.

Sie lassen ihn stehen und tänzeln nebeneinander über die Bühne. Mit einer herzlichen Arbeitslust, fast parallel in ihren Bewegungen, machen sie sich an den Gegenständen und um die Personen zu schaffen: während die eine Jannings die Stiefel auszieht, schnürt die andre George die Schuhe auf; zur gleichen

Zeit fertig, fangen sie Henny Porten und Elisabeth Bergner die Haare zu bürsten an; und wieder zur gleichen Zeit sind sie fertig und tänzeln zur offenen Lade der Kommode; mit vier Zierkissen kehren sie zurück und schieben sie schon, durcheinanderlaufend, aber mit den gleichen Bewegungen, den vier Personen unter den Rücken; und man hat das noch gar nicht recht wahrgenommen, als sie schon mit vier Gläsern und zwei Flaschen wieder am Tisch sind und die Gläser und Flaschen vor den Personen aufstellen.

Jetzt aber werden ihre Bewegungen auf einmal langsamer, fangen nach und nach an, einander zuwiderzulaufen: eine macht jeweils die Arbeit der andern rückgängig: die eine räumt die Gläser und Flaschen wieder weg, die die andre hingestellt hat, während die andre die Haare durcheinander bringt, die die andre gerade gebürstet hat; dann nimmt die eine die Zierkissen den Personen weg, denen die andre sie gegeben hat. Zur gleichen Zeit räumt die andre die Flaschen und die Gläser weg, die die eine ... Dann schnürt die eine die Schuhe zu, die die andre aufgeschnürt hat, während inzwischen die andre die Zierkissen wegnimmt, die ..., worauf die eine die Haare durcheinanderbringt, die ..., während die andre Emil Jannings die Stiefel wieder anzieht.

Sie hören aber gleichzeitig auf und wollen in entgegengesetzte Richtungen rasch von der Bühne laufen; kehren noch einmal um und wechseln die Richtungen, laufen endgültig in die Kulissen.

Kaum sind sie nicht mehr zu sehen, hört man sie auch schon nicht mehr laufen.

Alle auf der Bühne halten den Atem an.

Aus ihrer völligen Bewegungslosigkeit springen Jannings und George plötzlich auf und stürzen sich auf die Koffer, die auf der Bühne geblieben sind.

Sie werfen sie den beiden nach in die Kulissen, aber es ist kein Geräusch des Aufprallens zu hören.

Sie horchen. Dann hören sie auf zu horchen.

Während sie an ihre Plätze zurückgehen, springt auch Henny Porten plötzlich auf und wirft die übrigen Sachen, Hüte und Handschuhe, den beiden nach in die Kulissen, die Hüte wie Handschuhe, die Handschuhe läßt sie segeln wie Hüte. Man hört sie aufprallen wie Koffer.

Alle lassen sich auf ihren Plätzen nieder.

Henny Porten: »Gu –«

Alle wenden sich sofort Elisabeth Bergner zu.

Henny Porten: »*Ich* spreche.«

Man wendet sich unbeholfen ihr zu. Elisabeth Bergner scheint eingeschlafen.

Henny Porten: ›Guten Tag!‹

George, ein wenig zu spät: ›Guten Tag!‹

Henny Porten, ein wenig zu spät: ›Wie geht es dir?‹

George, ein wenig zu spät: ›Gut.‹ Ein wenig zu spät: ›Und wie geht es dir?‹

Henny Porten, ein wenig zu spät: ›Gut.‹ – ›Reich mir bitte die Zeitung!‹

Kleine Pause.

Jetzt reicht George ihr erst die Zeitung vom Tisch. Sie hält sie in der Hand.

Pause.

Jetzt schaut sie erst hinein.

George: ›Steht was drin?‹

Pause.

Henny Porten, als hätte sie sofort geantwortet: ›Ich schau gerade.‹

Pause.

Sie legt die Zeitung weg.

George: ›Gib mir die Zeitung.‹

Pause.

Jetzt erst gibt sie ihm die Zeitung, aber so, als hätte sie sie ihm sofort gegeben.

George schlägt sie auf, schaut erst nach einer Pause hinein.

Pause.

Jetzt erst ruft er aus, als hätte er das Bild auf den ersten Blick gesehen: ›Eisschollen!‹

Pause.

Henny Porten, lebhaft: ›Im Ernst?‹

Pause.

›Wieviel wiegst du?‹

Pause.

George: ›Zweihundertachtzehn Pfund.‹

Pause.

Henny Porten: ›O Gott!‹

Pause.

Emil Jannings schüttelt den Kopf. Er stockt und schaut George an: »Warum schütteln Sie den Kopf? Wollen Sie mir widersprechen?«

George: »Weder schüttle ich den Kopf noch würde ich, auch wenn ich den Kopf schüttelte, Ihnen damit widersprechen wollen!«

Henny Porten, zu Jannings: »Sie selber schüttelten den Kopf!«

Jannings: »Das war ich?«

Stroheim: »Das waren Sie.«

Jannings schaut zu GEORGE: »Wer spricht?«

Stroheim: »Ich.«

Jannings zu Stroheim: »Das waren Sie?«

George: »Ja.«

Jannings zu George: »Sie *reden*?«

George: »Träumen Sie?«

Jannings:

»Ist dies die Erd? Ist's Himmel oder Hölle!
Schlaf oder wach ich? Bin ich bei Verstand?
Mir selbst ein Rätsel, bin ich hier bekannt?
Sagt mir, bin ich vertauscht, bin ich noch ich?«

Pause. Zu George: »Haben Sie Streichhölzer?«

George: »Ja.«

Pause.

Jannings zeigt mit dem Finger auf den Tisch, aber alle schauen seinen Finger an. Schließlich schaut er selber seinen Finger an und läßt die Hand sinken.

Pause.

Stroheim will das rote Tuch hervorziehen.

Jannings erblickt es und schreit: »Nein!« Stroheim steckt es sofort weg.

Pause.

Henny Porten lacht auf, wird sofort still.

George schaut sie FRAGEND an, sie schüttelt nur den Kopf.

Pause.

Jannings: »Lasset uns zu Gott beten.«

144

Henny Porten, sofort: »Meine Praline.«

Elisabeth Bergner, im Schlaf: »Es ist eine Ratte in der Küche.«

Pause.

Stroheim greift in die Zigarrenkiste. Er fragt: »Darf ich mir eine nehmen?« Man schaut ihn an, er zieht die Hand zurück.

Er fragt noch einmal: »Darf ich mir eine Zigarre nehmen?«, streckt dabei schon die Hand aus. Man schaut ihn an, und er zieht die Hand zurück.

Mit an sich gepreßten Armen fragt er noch einmal: »Darf ich mir eine nehmen?« Niemand schaut ihn an, und er nimmt sich eine Zigarre.

Henny Porten gibt ihm den Aschenbecher.

Geroge, zu Henny Porten: »Danke.«

Henny Porten: »Warum bedanken Sie sich?«

George: »Weil das meine Sache gewesen wäre.«

Lange Pause.

George hebt die Teekanne auf und stellt sie wieder hin.

Jannings fährt ihn an: »Was wollen Sie damit sagen?«

George zieht den Kopf ein.

Pause.

Er holt ein Stück Schokolade hervor, entfernt das Silberpapier und ißt sie.

Als er sie gegessen hat, fragt er Henny Porten: »Oder wollten Sie ein Stück davon?« Sie antwortet nicht. Er starrt in die Zeitung: »Gerade habe ich das Wort SCHNEESTURM gelesen und finde es jetzt nicht wieder!«

Alle starren in die Zeitung.

Pause.

Stroheim zu Henny Porten: »Haben Sie die Nummer 23 32 322?«

Henny Porten: »Nein, ich habe die Nummer 233 23 22.«

Kleine Pause.

Henny Porten: »In meiner Nähe gibt es ein Einkaufszentrum mit Läden, Lokalen und . . .«

Stroheim: »Einem Kino?«

Henny Porten: »Wieso?«

Pause.

Henny Porten: »Einmal war ich beim Schlußverkauf –«

George: »Und alle schrien, liefen und warfen Möbel um?«

Henny Porten: »Nein. Sie – Doch! Sie warfen Möbel um, schrien und liefen!« Sie schaut ihn erfreut an, wird sofort wieder ernst. Plötzlich erfreut zu Stroheim: »23 32 322? Doch, das ist meine Nummer!«

Pause.

Sie schaut George lange an.

George: »Warum schauen Sie mich so an?«

Henny Porten: »Ich habe Angst, Sie nicht wiederzuerkennen.«

Sie hat ihre Antwort im Ernst angefangen, im Spaß aufgehört.

Sie schmiegt sich den Kopf an die Schulter.

Pause.

George senkt den Kopf.

Henny Porten: »He!«

George schreit sie an: »Was für ein Gefühl haben Sie?« Er kommt zu sich und fragt sie freundlich von neuem: »Was für Gefühle haben Sie, wollte ich Sie fragen?«

Henny Porten: »Es sind zu viele.«

Jannings: »Damals roch es vor dem Gewitter im Gras nach Hundepisse.«

Henny Porten: »Wer sagt das?«

Jannings: »Ich?«

Henny Porten: »Ach so.« Sie redet gleich weiter: »Als Kind mußte ich, wenn ich etwas haben wollte, jedesmal zuerst sagen, wie es heißt.«

George will etwas sagen: »Und ich –«

Stroheim, gereizt: »Ja, man zeigte mir eine Sache und ging damit von mir weg – (besinnlich) und ich mußte nachkommen und sie mir holen.«

George will etwas sagen: »Und ich –«

Stroheim: »Oder man machte einfach die Lade auf, in der sie lag, und ging weg.«

George zu Stroheim: »Und damit ich lernte, mich durchzusetzen – (Stroheim schaut weg, George wendet sich an Jannings) wurde ich zu den Sachen hingeschubst, die mir jemand andrer weggenommen hatte. (Jannings schaut weg, und er wendet sich an Henny Porten) Ich sollte sie selber zurückholen.«

Henny Porten, sich erinnernd: »Ja! Wie ich da gezappelt habe!«

Stroheim, als er wegschaute, hat zugleich zu Jannings, der sich räusperte, gesagt: »Sie wollten etwas sagen?«

Jannings: »Nein.«

Pause.

George: »Seltsam!«

Er will mit dem Ausruf auf sich aufmerksam machen, aber niemand wendet sich zu ihm. Henny Porten zwinkert vielmehr Jannings zu, der darauf einen Finger auf die Lippen legt und den Kopf schüttelt. Stroheim beugt sich darauf vor und zieht mit dem Finger ein Auge in die Länge.

Diesmal wird das Zeichen beachtet: Jannings zieht mit zwei Fingern als Antwort den Mund auseinander; darauf schlägt Stroheim, indem er ihn deutlich mit Daumen und KLEINEM FINGER umfaßt, an seiner Jacke den Revers um, und Jannings nickt zweimal. Henny Porten, Stroheim und Jannings lachen, während George wieder »Seltsam!« sagt.

»Was ist seltsam?« fragt ihn Henny Porten wie unwillig.

George erzählt erleichtert: »Plötzlich erinnerte ich mich an einen Hügel, den ich mit jemandem hinaufgestiegen war, und an die Wolkenschatten, die dabei kamen und verschwanden.«

Henny Porten: »Und was ist seltsam daran?«

George: »Daß ich mich so ohne Anlaß daran erinnere.«

Henny Porten wischt sich das Auge aus, als hätte er sie beim Reden angespuckt. Sehr feindselig sagt sie: »Tun Sie Ihre Zeitung da weg!«

George: »Es ist nicht meine Zeitung!«

Sie SCHNIPPT die Zeitung weg: »Und räumen Sie Ihre Teetasse da weg!« Sie schnippt an die Teetasse, daß sie umkippt.

George: »Es ist nicht meine Teetasse!«

Henny Porten: »Und verschonen Sie mich mit Ihren Erinnerungen!« Sie redet sofort freundlich zu Stroheim weiter: »Kennen Sie die Redensart: ›Im Haus des Erhängten den Strick erwähnen‹?«

Jannings lacht, Stroheim lächelt.

George: »Warum sind Sie so feindselig?«

Henny Porten: »Und warum sind Sie so blaß?«

George: »Ich bin nicht blaß!«

Henny Porten: »Und ich bin nicht feindselig!« Sie spricht sofort weiter: »Kennen Sie den Ausdruck: ›Die Hände auf den Kopf legen‹?

George schaut Jannings an. Dann antwortet er: »Gewiß.«

Henny Porten: »Warum schauen Sie *ihn* an, bevor Sie antworten?«

George: »Ich bin es so gewohnt.«

Henny Porten: »Legen Sie die Hände auf den Kopf!«

Er stockt.

Henny Porten: »Haben Sie gehört?«

Er schaut wieder zu Jannings, bevor er sagt: »Ich überlege noch.«

Henny Porten: »Aber es gibt doch den Ausdruck, nicht wahr?«

Langsam legt er die Hände auf den Kopf.

Stroheim spielt mit: »Legen Sie die Hände auf den Tisch!«

George probiert, ob es den Satz gibt: »›Legen Sie die Hände auf den Tisch!‹?« Erleichtert: »Ja.« Er legt die Hände auf den Tisch.

Henny Porten: »Ballen Sie die Hände und streicheln Sie mich!«

George probiert: »›Ballen Sie die Hände und streicheln Sie mich!‹? Nein!«

Stroheim: »Reichen Sie mir die Tasse herüber!«

George reicht ihm die Tasse ohne Nachdenken.

Henny Porten: »Ich werde Ihnen etwas zeigen!«

Sie lächelt Stroheim als Eingeweihten zu und fängt an, in ihren Kleidern zu suchen.

George streckt schließlich die Hand aus, während sie noch sucht.

Sie blickt ab und zu auf die Hand und sucht weiter.

Plötzlich schlägt sie ihn auf die Hand und schiebt sie weg.

Sie sagt böse: »Das wollte ich Ihnen zeigen!«

Er krümmt sich zusammen, zieht den Kopf ein.

Sie bedeckt auf einmal mit beiden Händen die Augen und erschauert.

George, wie erschrocken: »Was haben Sie?«

Henny Porten tut die Hände von den Augen: »Ach nichts!«

George will nach der Tasse greifen, die Stroheim inzwischen abgestellt hat, aber der verschiebt sie ganz leicht, und George zieht die Hand zurück. Das wiederholen sie noch mehrere Male, beide mit großer Geduld.

Henny Porten unterbricht das Spiel und sagt feindselig zu George: »Wer sind Sie?«

George steht schnell auf und stellt sich wie zu einer Aufnahme hinter den Tisch in Pose.

Henny Porten: »Jetzt erinnere ich mich! Sie sind der Verkäufer. Sie haben mir die –«

Sie legt die Reitgerte auf den Tisch. Sie verspricht sich:

»Was kostet das?«

George: »Reitgerte.«

Henny Porten: »Ja, das wollte ich auch fragen. Sie haben mir die Reitgerte verkauft.«

George setzt sich, sie legt sich wieder die Hände aufs Gesicht und erschauert.

Sie schiebt die Reitgerte von sich weg.

Jannings: »Gefällt sie Ihnen nicht mehr?«

Henny Porten: »Nein, ich habe sie nur weggeschoben!«

Jannings mit verstellter Stimme: »Die *Reitgerte* auf dem Tisch, das bedeutet: jemand, der dir am nächsten ist, wird im Moor versinken, und du wirst dabei stehen und langsam die Hände über dem Kopf zusammenschlagen!«

Er lacht mit fremder Stimme.

Henny Porten erhebt sich schnell und stößt dabei die Gitarre vom Tisch.

Jannings mit verstellter Stimme:

»Eine GITARRE fällt vom Tisch, das bedeutet: Hüte, die bei der nächsten Bergwanderung in Gletscherspalten torkeln.«

Er lacht mit fremder Stimme.

Stroheim zu Henny Porten, die bewegungslos dasteht: »Sie wollen gehen?«

Henny Porten setzt sich: »Nein, ich bin nur aufgestanden.«

Sie kreuzt plötzlich die Arme über der Brust und zieht die Schultern zusammen.

George: »Ist Ihnen kalt?«

Henny Porten läßt die Arme fallen: »Nein.«

Zu Stroheim: »Und wer sind *Sie*?«

Stroheim hebt die Gitarre auf und hält sie wie früher.

Henny Porten, zärtlich: »Ach, Sie sind's!«

Sie wird sofort wieder ernst.

Stroheim: »Ist Ihnen etwas eingefallen?«

Hilflos versucht sie ihn wieder zärtlich anzuschauen, bricht ab, greift nach einer Zigarre.

George: »Sie sind unruhig?«

Henny Porten legt die Zigarre zurück.

Ruhig sagt sie: »Nein, ich wollte mir nur eine Zigarre nehmen.«

Plötzlich SCHREIT sie: »Ich wollte mir nur eine Zigarre nehmen!«

George fährt zusammen, zieht sich die Jacke über den Kopf, als wollte er sich vor dem Regen schützen, und bleibt so hocken.

Henny Porten SCHREIT: »Ich wollte mir nur eine Zigarre nehmen! ICH WOLLTE MIR NUR EINE ZIGARRE NEHMEN!«

Alle ducken sich immer mehr zusammen.

Jetzt hört man hinter der Bühne ein Geräusch wie ein hohes, jämmerliches Geheul.

Von dem Geheul wird es ein wenig dunkler auf der Bühne.

Henny Porten bricht sofort ab und duckt sich auch zusammen.

Die schwarz geschminkte FRAU MIT DEM KOPFTUCH tritt rasch von der Seite auf und geht, ohne jemanden anzuschauen, zu der zweiten Tapetentür.

Als sie die Tür aufmacht, wird es dahinter sofort still.

Man hört dafür das RASCHELN einer Zeitung, die innen vor der Tür lag.

Die Frau geht hinein und kehrt mit einer großen PUPPE zurück, die ein Kind darstellt.

Das Kind ist jetzt ruhig. Es hat Schluckauf.

Es trägt ein golden besticktes weißes Nachthemd und sieht sehr lebensecht aus. Der Mund ist übergroß und offen.

Als die Frau mit dem Kind mitten auf der Bühne ist, fängt es, ohne eigentlich anzufangen, furchtbar zu heulen an.

George, die Jacke über dem Kopf, springt schnell zur Kommode und schiebt die Lade zu.

Das Geheul bricht sofort ab.

Die Frau trägt das Kind jetzt von einem zum andern, sehr rasch, und im Vorbeigehen und kurzen Anhalten greift es nach den Brüsten der Frauen und zwischen die Beine der Männer. Ganz schnell wischt es auch alle Sachen herunter, die auf dem Tisch liegen, zieht das Spitzentischtuch weg und läßt es fallen.

Als die Frau mit ihm NEBEN Elisabeth Bergner steht, die noch immer zu schlafen scheint, heult es von neuem, so plötzlich, als hätte es gar nicht aufgehört.

Die Frau hält es so, daß es Elisabeth Bergner VON VORNE sieht. Es verstummt sofort und wird weggetragen.

Die Frau kommt allein zurück, schließt die Tapetentür und geht seitlich ab.

Als sie weg ist, sitzen alle regungslos.

Einer versucht, nach etwas zu greifen, hält schon im Ansatz der Bewegung inne.

Ein andrer versucht eine Geste, die sofort verkümmert.

Ein andrer will ihm mit einer Geste antworten, bricht sie mit einem Zucken ab.

Sie hocken da, setzen gleichzeitig zu etwas an; einer versucht vergeblich, die Hand aus der Tasche zu ziehen; ein, zwei öffnen sogar den Mund – ein paar Laute, dann erstarren alle wieder und ziehen sich zusammen, machen sich ganz klein, wie erfrierend.

Nur Elisabeth Bergner sitzt die ganze Zeit unbewegt, mit geschlossenen Augen.

Auf einmal, wie wenn sie Erwachen spielte, regt sie sich leicht.

Die andern schauen nach und nach zu ihr hin.

Stroheim steht auf und beugt sich zu ihr.

Sie regt sich wieder.

Alle andern sind bewegungslos.

Sie schlägt die Augen auf und erkennt Stroheim: sie fängt zu lächeln an.

Die Bühne wird dunkel.

Anhang

Die Figuren treffen sich nicht auf einer PARTY, bilden keine PARTY-Sprechfiguren, begrüßen sich nicht, WIE auf einer Party, treffen sich nicht IRGENDWO oder IM IRGENDWO, sondern auf der Bühne.

Die Redefiguren, welche die Figuren bilden, bestimmen die Bewegungsfiguren, nicht umgekehrt. Es sollte also nicht von vornherein ein Ornament oder Arrangement auskalkuliert werden; vielmehr sollte in Zusammenarbeit zwischen Regisseur und Schauspielern erforscht werden, welches Bewegungs- oder Stand-Bild durch eine bestimmte Sprechsituation auch in der Wirklichkeit hervorgerufen wird, damit die Bilder auf der Bühne nicht bloß theatralische, formale Ornamente bleiben, sondern in den Ornamenten Erfahrungen über bisher unbewußte, unsichtbare Ornamente der Realität vermitteln. Es wäre die Arbeit der Schauspieler und des Regisseurs, zu den im Text des Stücks phasenhaft beschriebenen Sprechfiguren als Entsprechungen in der Wirklichkeit vorhandene optische Figuren aufzufinden und die jeweils sinnlichste optische Figur die jeweilige Sprechfigur verdeutlichen zu lassen, wodurch umgekehrt von selbst auch die optischen Figuren der Wirklichkeit deutlich würden. Im *Quodlibet* sind zum Beispiel folgende Sprechfiguren vorhanden: Frage und Antwort als Konversation, Auskunft, Frage-und-Antwort-Spiel; Mißverständnisse; Anspielungen;

Erzählungen; Zitieren; Meinungen und Gegenmeinungen; Witzerzählen; Erzählungen als BEISPIELE für etwas, worauf dann der jeweilige Zuhörer selber ein anderes BEISPIEL dafür erzählt (Beispiele für Angst, Dummheit, Rassenunterschiede etc.); Monologe, die als Antwort nur bestätigendes Schweigen erwarten; Monologe, die eigentlich »entschlüpft« sind, die niemand hören sollte; Widersprechen; Halbschlafgespräche; Narzißmus des Sprechens, Sprechen, um die eigene Stimme zu hören; Sprechen-SPIELEN: die Zuhörer sind Spielpartner, die über ausgesparte Wörter in Sätzen Bescheid wissen und mitspielen, indem sie selbst solche Sätze bilden; Euphemismus; Wortspiele … Welche Bilder ergeben sich aus diesen Sprechfiguren einer Gesellschaft? Diese Frage kann hier nur im Rahmen beantwortet werden, die Einzelheiten müssen Schauspieler und Regisseur durch Versuchsanordnungen und Selbstversuche herausfinden. Insofern und in dieser Beziehung wäre es Unsinn, würde das Stück nicht »offen« bleiben.

Die Phasen des Stücks entwickeln sich nicht hintereinander, sondern sind oft ineinander verschoben, gehen manchmal vielleicht sogar gleichzeitig vor sich. Es wäre falsch, jede Sprechfigur einzeln nacheinander vorzuführen. Auf diese Weise bekäme das Stück eine Nummernform, die es keinesfalls haben darf. Es zeigt sich vielmehr dem Zuschauer und Zuhörer als eine organische, verschlungene, trotzdem ganz klar strukturierte Abfolge von Sprache und Bewegungen. Das Stück ist immer »in Fluß«, mögen auch an einer Stelle die Figuren ganz still sein, oder an einer AN-

DERN Stelle bewegungslos dastehen. Nimmt man die Sprechfiguren und Bewegungsfiguren als Nummern, mit Pausen dazwischen, werden sie wie Fragen ans Publikum wirken: Wie war das? War das komisch? War das gut? Das würde die Pausen zu peinlichen Pausen machen. Das Stück kann nicht zwischendurch immer wieder aufhören und, aufdringlich etwas vorführend, wieder anfangen, es muß sich vor den Zuschauern in einer einzigen lebendigen Bewegung abspielen.

Was erreicht werden sollte, hier aber, eben deswegen, weil es erreicht werden sollte, nur gleichsam in End-Wörtern formuliert werden kann, ist: Furcht und Mitleid, Zärtlichkeit und Wut. Furcht vor der Unabänderlichkeit, die die Figuren darstellen, Mitleid für ihre träumerische Abgeschlossenheit, Zärtlichkeit für ihre Schönheit, Wut über ihr Selbstbewußtsein und ihre Ruhe.

Personen, die gerade miteinander gesprochen haben, erkennen einander nicht wieder

Eine Treppe, die den Gehrhythmus hemmt; eine Stapfe bricht ein

Jemand fängt ganz sinnlos zu lügen an, er lügt ganz schlecht und hört gleich wieder auf

Zwei sitzen da und reden nicht miteinander; erst als ein dritter dazukommt, fangen sie zu reden an

Jemand schüttet jemandem Äpfel in die Einkaufstasche, jedenfalls sieht man es so von weitem – aber alle Äpfel fallen daneben

Mitten im Gespräch krachen Erdnußschalen auf dem Fußboden

Ein Gespräch wird abgelenkt durch Gegenstände, die man plötzlich erblickt: eine Flasche am Tischrand, die zu fallen scheint

Wie Versprecher im Gespräch durch einen fremden Anblick entstehen

Jemand spricht nur, um zu zeigen, welche Sätze er

sprechen kann – wie man zu einem Ausländer spricht, nur um ihm die Sätze zu zeigen, die man von seiner Sprache sprechen kann

Jemand gibt im Gespräch nur die Stichworte

Wie sich ein Zwiegespräch verändert, wenn man dabei geht und Gegenständen ausweicht

Zwei sitzen an einem Tisch und reden, und ein dritter macht sich um sie herum zu schaffen, indem er den Tisch abwischt, Tassen aufhebt: wie sich das Gespräch verändert

»Wie heißen Sie?« – »Das geht Sie nichts an!« – »Was ist das?« – »Das geht Sie nichts an!« – »Was bedeutet das?« – »Das geht Sie nichts an!«

Jemand erzählt, und der andre fällt immer sofort ein und erzählt, was er selber Ähnliches erlebt habe: »Ich habe . . .« – »Ja, und ich habe . . .«

Zwei gehen über die Bühne und reden eine ganz fremde Sprache, so daß man sich als Lauscher vorkommt: »Who killed Sloane in the kitchen? Who killed Sloane in the kitchen?«

Der Salzstreuer streut nicht, die Tischlade klemmt, ein Fauteuil sinkt lächerlich tief ein, so daß man nicht weitersprechen kann, das Streichholz brennt nicht an, der Stöckelschuh bleibt in einem Bühnenspalt hängen

»Ich hab's gefunden – es gehört mir!« – »Aber ich hab's als erster gesehen!« – wie Besitz entsteht

Die Gesten der Inbesitznahme: Streicheln eines Gegenstands, mit der Faust drauf schlagen, Umarmen, erotische Gebärden (Die Art, wie eine Frau sich rittlings auf einen Stuhl setzt)

Plötzlich grundlose Stimmungsschwankungen, Gereiztheiten innerhalb eines Gesprächs

Böses Schweigen: plötzlich fängt jemand sehr freundlich zu reden an

Jemand räumt immer hinter jemandem auf

Jemand erkennt jemanden nicht wieder, der einen andern Gegenstand als gerade in der Hand hält: »Wer sind Sie?« – Der andre nimmt den alten Gegenstand wieder in die Hand: »Ach, Sie sind's!« sagt der erste

Wie eine Frau die Handschuhe nicht formgerecht von den Fingern streifen kann

Wie Geräusche als Sprache aufgefaßt werden – jemand stellt die Vase auf den Tisch: »Was wollen Sie damit sagen?«

Jemand hält eine Kundin für die Verkäuferin

Jemand zeigt mit dem Finger auf etwas, aber man schaut nur seinen Finger an

Jemand pfeift hinter einem Gegenstand her wie hinter einer schönen Frau

Zu jemandem wird etwas gesagt, auf das er eigentlich etwas fragen müßte, aber er sagt nichts

»Wenn ihr die Arbeit wie eine Wette betrachtet – wer schneller, wer schöner, wer schwitzt mehr – gibt es Sieger und Gewinner wie beim Spiel!«

Jemand zeigt, daß er beim Arbeiten nicht unbedingt bei der Sache sein muß, und will seine Freiheit mit Reden beweisen, das dem Rhythmus der Arbeit entgegenläuft – aber bald kommt er mit beidem, Arbeit und Reden, durcheinander

Jemand ist abgegangen, ohne daß man es gemerkt hat

Jemand lacht auf, war vorher ganz still. Er wird gefragt, schüttelt aber nur den Kopf

Jemand macht plötzlich einen Luftsprung und läßt sich schwer fallen. Er sagt zu der Frau neben sich: »Ich habe mir gerade vorgestellt, in eine Pfütze zu springen!« Die Frau weicht zurück und schaut ihr Kleid an

Eine Hosenrolle

Ein Stehaufmännchen

Jemandem wird etwas schnell weggenommen, bevor er sich daran gewöhnt, daß es ihm gehört

Er tut etwas für sie, was gewöhnlich *sie* tut, und sie bedankt sich bei ihm, weil es eigentlich *ihre* Sache gewesen war (Rollen)

Der Kunde fragt den Verkäufer: »Ist das gut?« Der Verkäufer antwortet: »Sehr gut.«

Jemand öffnet einen Brief und liest, während die anderen weiterreden

»Diese Sachen laufen dir nicht davon!« Er schaut die Sachen an

Jemand knöpft sich die Jacke zu. »Du gehst weg?« – »Nein, ich knöpfe mir nur die Jacke zu.« Ein andrer schlägt die Hände vors Gesicht. »Du weinst?« – »Nein, ich schlage mir nur die Hände vors Gesicht.« Ein andrer zieht die Schultern zusammen. »Ist dir kalt?« – »Nein, ich ziehe nur die Schultern zusammen.«

Sie lesen einander die Markenzeichen von Gegenständen vor: von einem Krug, von einer Tafel Schokolade, von der Unterseite eines Fauteuils

Er sieht sie in einer fremden Umgebung, und liebt sie von neuem

Mit welcher Würde er sich lächerlich macht! (Ein Kostüm trägt)

Wer soll die Tücher von den Fauteuils nehmen? Der es immer gemacht hat!

Zwei wollen gleichzeitig das gleiche tun (die Asche in den Aschenbecher schnippen), dann tuts keiner von beiden, und ein dritter tuts

Welche Gewalt kann man auf der Bühne zeigen, ohne daß sie lächerlich *angedeutet* wirkt? Schwitzkasten? Jemandem auf den Fingern stehen?

Jemand zeigt auf etwas, aber der andre merkt nicht, auf was gezeigt wird: was für eine Verzweiflung!

Jemand bückt sich zu einer Blume, ein andrer droht ihm mit dem Finger, da richtet sich der erste schnell auf und geht weiter

Jemand nimmt etwas und fragt: »Darf ich?« – »Nein.« Er stellt es zurück

»Es ist unnütz, sich jetzt zu sagen, daß es morgen lächerlich sein wird, was ich jetzt s p ü r e , wenn ich es j e t z t spüre«

»Es ist schön!« – »Ja, es ist wunderbar!« – »Nein, es ist schön!« (Es gibt keine Synonyme?)

»So reden Sie schon!« – »Ich weiß nicht, wie ich anfangen soll!«

Jemand macht sich deutlich an einem *Gegenstand* zu schaffen, damit man auf ihn selber aufmerksam wird

Eine Verbrennung in effigie

Kleiderbügel mit den Gesichtern der Schauspieler

Jemand schaut sich um, während er geht. »Haben Sie ein schlechtes Gewissen?« – »Nein, ich schaue mich nur um.«

Jemand kommt und zieht sich im Stehen einen Schuh aus, er hat einen Stein drin und schüttelt ihn heraus

Jemand sucht zu jeder Erscheinung sofort eine Ursache, bildet eine Theorie für jedes Phänomen

Jemand streckt seine Hand aus. Ein andrer glaubt, er wolle ihm die Hand reichen, und schlägt ein. Dabei streckte der erste die Hand nach seinem Hut aus, den der andre hatte

Vermeintliche Metapher als Wirklichkeit: »Ich

habe das Gefühl, gerade etwas verloren zu haben!«
(Und dabei hat er wirklich etwas verloren)

Jemand stützt den Kopf in die Hände und sagt:
»Ich bin sehr froh!«

Eine kurze Szene, in der zwei Schauspieler das,
was die andern spielen und sagen, auf die Situation
der Zuschauer beziehen. Sagt etwa ein andrer: »Was
wird hier gespielt?« lachen die beiden Figuren höh-
nisch; sagt ein andrer: »Sind wir hier in einem Nar-
renhaus?« rufen die beiden sogar: »Sehr richtig!«
Spricht ein andrer zu leise, brüllen die beiden gleich:
»Lauter!« Schreit einer, halten sie gleich einander die
Ohren zu

Jemandem springt beim Niesen ein Ball aus dem
Mund

Jemand schnürt dem andern das Schuhband zu; als
er fest zuzieht, greift sich der andre kurz an den Hals

Jemand, der den falschen Verschluß auf den Be-
hälter schrauben will

Jemand öffnet eine Lade, läßt aber dann den andern die Sache herausnehmen

Jemand gibt dem andern nicht den Gegenstand,
sondern stellt ihn vor sich hin, so daß der andre ihn
sich holen muß

Er sagt: »Komm her!« Sie geht aber nicht auf ihn zu, sondern an ihm vorbei, so daß er ihr nachgehen muß

Jemand wird auf eine Verkaufsmöglichkeit aufmerksam gemacht, indem man eifrig die Waren in dem Verkaufsraum *abputzt*

Ein Geldschein wird GEZÜCKT

Jemand darf etwas nicht ANSCHAUEN, weil es einem andern gehört

Eine Szene, für die man Operngläser braucht (Schnitt und Großaufnahme im Theater?)

Jemand schlägt einen. »Mir ist die Hand AUSGE-RUTSCHT!«

»Sprich nicht! Ich kann selber für mich sprechen!«

Jemandem fällt etwas aus der Hand, das er schon so lange gehalten hatte, daß er es vergaß

»Ich weiß nicht, was mit mir ist«, sagt Steve Cochran

»Und in meiner Angst sah ich alle Gegenstände verschlungen zu Hieroglyphen«

»Was einer bezahlt, das muß er haben«

Jemand schaut auf etwas, und ein andrer räumt es sofort weg

Jemand greift nach etwas, und ein andrer schiebt es sofort ganz wenig beiseite

»Das ist schön!« – »Ja, ich möchte es auch haben!«

»Mutter, du sprichst wieder so viel von Grab und Kreuz.« – »Ja, Kind, jeder spricht, woran er denkt.« (Fontane, Irrungen Wirrungen)

Zwei reden. Einer wird etwas gefragt und überlegt. Ein dritter kommt hinzu, sieht, daß die beiden schweigen, und sagt: »Seid ihr böse aufeinander?«

Jemand, der arbeitet, betrachtet zwischendurch immer wieder sein Werk

»Ich glaube, ich brauche mich nur ein wenig zu konzentrieren, und ich werde verrückt«

Jemand sucht ein Paar Schuhe, findet den ersten, sucht weiter: jedesmal, wenn er den ersten Schuh sieht, glaubt er, den zweiten gefunden zu haben

Wenn man in ein Kino kommt, und in dem Film reden die Leute so eigenartig vertraut und zärtlich miteinander, – und dann merkt man, daß das schon das Ende des Films war

Jemand kommt an einen Tisch und setzt sich freundlich zu zweien, die da sitzen, wie zu Kindern

Jemand wirft jemandem einen Ball zu, der eine Stahlkugel ist

»Wieviele haben Sie unter sich?« – »Und Sie?«

»Er wird sich ändern, wenn er Pflichten hat«

Aggression gegen den andern: »Tu DEINE Zeitung da weg!« Dabei gehört die Zeitung allen

Tschechow: »Ein Riesenschnurrbart ist mir da gewachsen ... ein blöder Schnurrbart!«

»Hielten Sie ihn für einen gutaussehenden Mann?« – »Ich verstehe die Frage nicht. Er war unser Diener, ich habe nicht auf sein Aussehen geachtet.«

Jemand schaut etwas an. Sofort wird er gefragt: »Wollen Sie es kaufen?«

Nestroy:
»Gesetzt, es käme einer und sähe Sie zärtlich an?« *Tut es.* »Da mach ich ein trotziges Gesicht und schau weg.« *Tut es nicht, schaut zärtlich zurück.*

Das Tauschprinzip beim Sprechen: »Sie schulden mir noch eine Antwort!«

Jemand SCHNIPPT etwas weg, bis die Gegenstände zum Wegschnippen allmählich zu groß werden

»Was ist das?« – »Wie schon der Name sagt, ist das ein Stuhl.«

Jemand freut sich so, daß es ihm gelungen ist, einen andern freundlich anzulächeln, daß er noch eine Weile weiterlächelt, obwohl er schon wieder allein ist

Jemand denkt: er sieht ernst dabei aus; als er fertig ist, lächelt er

Ein Geschmeide glitzert. Jemand bemerkt es: »Das Geschmeide GLITZERT! Es glitzert wirklich! Und ich dachte, das sei nur eine Redensart!« Wie wenn man an den »Stillen Ozean« kommt, und es gibt ihn wirklich

Jemand schaut jemanden sehr lange an: »Ich habe Angst, Sie beim nächsten Mal nicht wiederzuerkennen.«

»Wie gegen Ende einer langen Zugfahrt, als alle Leute im Zug still geworden sind«

Der Besitzer sagt zum Dieb: »Nehmen Sie nicht fremde Sachen weg. Sehen Sie, wie darunter der, den ich zur Betreuung der Sachen angestellt habe, leiden muß!« Er gibt dem Angestellten eine Ohrfeige

»Das ist schön!« – »Ja, es erinnert einen an nichts«

In einem Gespräch zwischen dreien bilden sich sofort zwei Verbündete

»Sehen Sie, wie anmutig er sich bewegt, wenn er arbeitet!« – »So habe ich ihn noch nicht angeschaut.«

Jemand will fragen, wie etwas heißt, und fragt unwillkürlich, was es KOSTET. Der andre aber versteht ihn und sagt, wie es heißt

»Eine Stewardeß, aber eine häßliche«, »Eine Frau allein auf der Straße, aber keine Nutte« . . .

Zwischen Bezeichnendem und Bezeichnetem setzt die Traumdeutung ein

Die Kessler-Zwillinge kommen auf die Bühne, als hätten sie sich in die Vorstellung verirrt

»der flutartige Sinnzuwachs am Ende der gotischen Welt«

Die Scham des Käufers

Jemand tritt auf. »Gerade habe ich von Ihnen geträumt!«

Jemand zieht sich die Schuhe an. »Du gehst weg?« – »Nein, ich ziehe mir nur die Schuhe an.«

Jemand redet und redet; plötzlich unterbricht er sich und sagt zum anderen: »Aber Sie wollten doch etwas sagen!«

Mitten im Gespräch scheppert ein Schüsseldeckel lange auf dem Tisch

Zwei werden immer verwechselt, obwohl sie einander gar nicht ähnlich sehen

Jemand wird gerufen: aber nur sein Name. Was heißt das? Sollte er kommen, oder wollte man nur fragen, ob er noch da sei?

Jemandem wird Geld herausgegeben, und zu früh wird das Kleingeld von der Unterlage genommen, so daß er peinlich auf die Scheine wartet: er legt also das Kleingeld auf die Unterlage zurück

Jemand schüttet den Kaffee neben die Tasse, aber nicht als Witz, sondern weil er nicht anders kann

Zwei reden ganz alltäglich, in Fragen, Erzählungen, Antworten, bis sie allmählich, während das alltägliche Reden weitergeht, immer feindseliger werden

Jemand kriegt was zu kosten – alle warten, daß er Zeichen gibt, wie es schmeckt – er braucht nun sehr lange, um Zeichen zu geben, und alle atmen dann auf

Konstellationen von Gegenständen, die zu hierarchischen Situationen führen: jemand stellt sich hinter einen Tisch: ein anderer kommt und will das, was auf dem Tisch liegt, kaufen – Angebote und Nachfrage entwickeln sich, zufällig

Etwas liegt auf dem Boden, jemand ZEIGT darauf, ein andrer bückt sich, die Beziehungen entwickeln sich zufällig

Jemand will weggehen, vergißt aber, für alle deutlich, einen Gegenstand mitzunehmen, von dem er doch die ganze Zeit geredet hat – als er schon fast weg ist, fällt er ihm endlich ein, und er kommt zurück und holt ihn, vergißt dann aber wegzugehen

»Als ich einmal – jetzt weiß ich nicht mehr, was ich sagen wollte!«

Jemandem fällt mitten im Reden ein Wort für einen Gegenstand nicht ein – er bricht ab und denkt nach, alle wollen ihm helfen und raten, was er wohl gemeint haben könnte, das Gespräch verstreut sich, schließlich fängt ein andrer alles auf, indem er eine ähnliche Geschichte erzählt

Jemandem ist die Hand eingeschlafen; als er etwas ergreifen will, fällt es ihm aus der Hand

Ein Kind, wie vor dem Schlafengehen, wird hereingebracht; die Tischlade steht weit offen: das Kind

schreit WIE AM SPIESS; jemand schiebt die Tischlade zu, und das Kind beruhigt sich sofort und wird
weggebracht

Jemand schlägt die Hände vors Gesicht. »Du
weinst?« – »Nein, ich schlage nur die Hände vors Gesicht.«

»Was ist das« – »Ein Stuhl!« – »Das weiß ich.
Aber warum steht er da?«

»An was dachtest du gerade?« – »Ich kann es nicht
sagen.« – »Dann hast du an nichts gedacht.«

Jemand redet heftig, ohne dabei eine Geste zu machen!

Sie zwinkert ihm zu. Er schüttelt den Kopf und
legt den Finger auf den Mund

Jemand fragt: »Darf ich mir das nehmen?« Und
dabei hat er schon die Hand danach ausgestreckt

Jemand beugt sich über die Hand einer Frau und
beißt sie

»Reden wir von etwas anderem!« Und sie reden
alle von etwas anderem, aber mit den gleichen Sätzen!

»Nicht erschrecken!« – »Haben Sie mich aber er-
schreckt!«

»Warum arbeitest du nicht?« – »Ich versuche nachzudenken!« – »Ich habe dich nicht gefragt, ob du denkst, sondern warum du nicht arbeitest.« – »Mir kam plötzlich ein Gedanke, und ich konnte keinen Finger mehr rühren.«

»Je länger ich dich ansehe, desto gespenstischer kommst du mir vor.«

Jemand SPRICHT, und alles renkt sich wieder ein

»Alles tut mir weh, das Sehen, das Hören, die Knöchel an der Hand, die Brustwarzen, dieser Tisch dort ... Als ob man sich an allem schneiden könnte ... wie Rasierklingen! Apropos Rasierklingen!«

»Im Augenblick empfinde ich so heftige Zärtlichkeit für dich, daß ich sehr gereizt bin. Vielleicht werde ich dich gleich schlagen.« Er schlägt sie

»Sie ist so schön, daß man Angst um sie hat«

Jemand kommt in den Raum wie der Eigentümer, der andre wie ein Besucher

»Kommt diese Seite nach innen oder nach außen?« – »Nach innen!« – »Ich möchte sie aber außen!« – »Wie Sie wollen!«

»Er schlief auf Disteln!« – »Ich kann mich nicht erinnern, so einen Satz jemals gehört zu haben: also kann er gar nicht auf Disteln geschlafen haben!«

Zeittafel

1942 in Griffen/Kärnten geboren.
1944–1948 lebt er in Berlin. Dann Volksschule in Griffen.
1954–1959 als Internatsschüler Besuch des humanistischen Gymnasiums. Die letzten drei Jahre in Klagenfurt.
1961–1965 Studium der Rechtswissenschaften in Graz.
1963–1964 *Die Hornissen* (Graz, Krk/Jugoslawien, Kärnten).
1964–1965 *Sprechstücke* (Graz). Umzug nach Düsseldorf.
1963–1966 *Begrüßung des Aufsichtsrats* (Graz, Düsseldorf).
1965–1966 *Der Hausierer* (Graz, Düsseldorf).
1967 *Kaspar* (Düsseldorf).
1968 *Das Mündel will Vormund sein* (Düsseldorf).
1965–1968 *Die Innenwelt der Außenwelt der Innenwelt* (Graz, Düsseldorf). Umzug nach Berlin.
1969 *Die Angst des Tormanns beim Elfmeter* (Berlin). *Quodlibet* (Berlin, Basel). Umzug nach Paris.
1968–1970 *Hörspiele* (Düsseldorf, Berlin, Paris).
1970 *Chronik der laufenden Ereignisse* (Paris). *Der Ritt über den Bodensee* (Paris).
1971 *Der kurze Brief zum langen Abschied* (Köln). Umzug nach Kronberg.
1972 *Wunschloses Unglück* (Kronberg).
1973 *Die Unvernünftigen sterben aus* (Kronberg). Umzug nach Paris. *Falsche Bewegung* (Venedig).
1972–1974 *Als das Wünschen noch geholfen hat* (Kronberg, Paris).
1974 *Die Stunde der wahren Empfindung* (Paris).
1976 *Die linkshändige Frau*. Erzählung (Paris).
1975–1977 *Das Gewicht der Welt. Journal* (Paris).
1978–1979 *Langsame Heimkehr*. Erzählung (Amerika und Europa).
1979 Umzug nach Österreich. Der Kafka-Preis wird erstmals verliehen an Peter Handke.

Von Peter Handke
erschienen im Suhrkamp Verlag

Die Hornissen. *Roman*
1966. 278 Seiten. Leinen

Der Hausierer. *Roman*
1967. 204 Seiten. Engl. Broschur

Prosa, Gedichte, Theaterstücke, Hörspiel, Aufsätze
(Bücher der Neunzehn) 1969. 352 Seiten. Leinen

Die Angst des Tormanns beim Elfmeter. *Erzählung*
1970. 128 Seiten. Engl. Broschur

Der kurze Brief zum langen Abschied. *Roman*
1972. 195 Seiten. Engl. Broschur

Die Stunde der wahren Empfindung
1975. 168 Seiten. Leinen

Die linkshändige Frau. *Erzählung*
1976. 136 Seiten. Broschur

Langsame Heimkehr. *Erzählung*
1979. 208 Seiten. Leinen

Bibliothek Suhrkamp
Die Angst des Tormanns beim Elfmeter
Band 612

edition suhrkamp
Publikumsbeschimpfung und andere Sprechstücke
edition suhrkamp 177

Die Innenwelt der Außenwelt der Innenwelt
edition suhrkamp 307

Kaspar. *Stück*
edition suhrkamp 322

Wind und Meer. *Hörspiele*
edition suhrkamp 431

Der Ritt über den Bodensee. *Stück*
edition suhrkamp 509

suhrkamp taschenbücher
Chronik der laufenden Ereignisse. *Filmbuch*
suhrkamp taschenbuch 3

Über Peter Handke

Herausgegeben von Michael Scharang
edition suhrkamp 518

Der Band enthält neben zahlreichen Rezensionen zu allen Werken
von Peter Handke folgende Beiträge:

Der Band wird beschlossen durch eine umfangreiche »Peter
Handke-Bibliographie« von Harald Müller.

suhrkamp taschenbücher

st 256 Max Frisch, Tagebuch 1966–1971
448 Seiten
Die Aufzeichnungen, ob Erzählung oder Bericht, Fiction oder Analyse, Verhör, Fragebogen oder Handbuch, Reisebericht oder Erinnerung, protokollieren unsere Zeit und die Situationen des Einzelnen in ihr.
».... daß dieses reiche und funkelnde Tagebuch eines der klügsten Bücher dieser Jahre ist, die beste Auseinandersetzung eines Einzelnen mit der Lüge, der Dummheit und der Gewalt seiner Zeit.« *Rudolf Hartung*

st 477 Das unsichtbare Auge
Eine Sammlung von Phantomen und anderen unheimlichen Erscheinungen. Hrsg. v. Kalju Kirde
Phantastische Bibliothek Band 22
272 Seiten
Die vorliegende Sammlung – mit Erzählungen von Erckmann-Chatrian, Ambrose Bierce, H. P. Lovecraft, Jean Ray, Lady Cynthia Asquith, Robert Aickman u. a. – breitet ein Netz aus seltsamen Erscheinungen aus, das den Leser fangen und fesseln will. Eine im großen und ganzen chronologische Anordnung der Erzählungen repräsentiert die Weiterentwicklung der Horrorgeschichte in den letzten hundert Jahren.

st 513 Katharina Mommsen
Kleists Kampf mit Goethe
Mit zehn Textabbildungen
288 Seiten
Goethes Anerkennung und Freundschaft zu erringen, von ihm als legitimer Erbe angesehen zu werden, war Kleists Traum. Solche Hoffnungen inspirierten ihn als Dichter auch und gerade dann, als sie unerfüllbar zu sein schienen. Die Spiegelungen hiervon werden in diesem Buch gezeigt, im dramatischen und erzählerischen Werk Kleists wie auch in seinen Zeitschriften. Andererseits lassen sich auch in Goetheschen Dichtungen manche für Kleist bestimmte Winke – Mahnung und Kritik – erkennen, wodurch das Verhältnis der beiden Dichter zueinander in seiner Problematik noch klarer hervortritt.

st 557 Walter Schäfer
Erziehung im Ernstfall
Die Odenwaldschule 1946–1972
Mit einem Nachwort von Hellmut Becker
264 Seiten
Am Beispiel der privaten Heimschule *Odenwaldschule* soll
gezeigt werden, wo in unserer Gesellschaft während der
ersten Nachkriegsjahrzehnte Behinderungen beim Heran-
wachsen junger Menschen sichtbar wurden und wie man
versucht hat, diese Behinderungen nachhaltig abzubauen.

st 558 Erica Pedretti
Harmloses, bitte
80 Seiten
An den Bildern, die Erica Pedretti in anschaulicher Deut-
lichkeit entwirft, läßt sich der Übergang von der Deskrip-
tion einer idyllischen Landschaft, des heilen Lebens zur
angedeuteten Tragödie erkennen. Dieses Modell ist in
einer gegenständlichen Sprache erzählt, die modernste
Erzähltechniken ebenso wie den einfachen Satz aufnimmt.
So erweist sich der Text als spiegelndes Glatteis, auf dem
der, der Harmloses erwartet, zu Fall kommt.

st 559 Ralf Dahrendorf
Lebenschancen
Anläufe zur sozialen und politischen Theorie
238 Seiten
Dieser Band ist ein Versuch, den Begriff der Lebens-
chancen als Schlüsselbegriff zum Verständnis sozialer
Prozesse zu etablieren und in den Zusammenhang ge-
schichtsphilosophischer Erwägungen zur Frage des Fort-
schritts, sozialwissenschaftlicher Analysen des Endes der
Modernität und politisch-theoretischer Überlegungen zum
Liberalismus zu stellen.

st 563 Franz Innerhofer
Die großen Wörter
Roman
192 Seiten
Belastet mit den Erfahrungen einer vergewaltigten Kind-
heit (*Schöne Tage*, st 349) und mühsamen Anstrengungen,
als Lehrling und Fabrikarbeiter Selbständigkeit zu behaupten (*Schattseite*, st 542), unternimmt Holl nunmehr
den Versuch, als Abendschüler und schließlich Student
sich Eintritt in die »Welt des Redens« zu verschaffen.

»Innerhofer verweist auch auf die Fragwürdigkeit einer Sprache, die nicht allen zur Verfügung steht und so zu einem Herrschaftsinstrument werden kann.«

Der Tagesspiegel

st 564 Jorge Semprun
Der zweite Tod des Ramón Mercader
Roman
Aus dem Französischen von Gundl Steinmetz
392 Seiten
Diese Spionagegeschichte dient dazu, die politische Gegenwart aus der inneren Perspektive von Menschen vorzuführen, für die Existieren und politisches Engagement gleichbedeutend sind.
»Man kommt von der Lektüre nicht los. Denn Sempruns Erzählweise, die Leuchtkraft und Treffsicherheit seiner bildstarken Sprache überzeugen und reißen jeden Leser bis zum dramatischen Ende der Geschichte mit.«

Peter Jokostra

st 565 Dorothea Zeemann
Einübung in Katastrophen
Leben von 1913–1945
168 Seiten
»Vom Widerstand als Begriff oder Kategorie, von Schuld und Gewissen mag ich nicht reden. Es ging bei uns um die Praxis des Überlebens ... Das Problem war: Überleben – und neugierig war ich auch. Neugierig bin ich noch immer auf das, was ich erlebt habe, denn ich weiß noch immer nicht, wie es zuging: Das ist es, was mich zum Schreiben zwingt.«

st 566 Wolfgang Utschick
Die Veränderung der Sehnsucht
Erzählung
168 Seiten
Die Geschichte eines in der Nachkriegszeit Aufgewachsenen wird zur Biographie einer Generation, die seit den studentischen Unruhen dem patriarchalischen Alptraum zu entkommen versucht. Utschick ist in dem Kampf um die Wahrnehmung anderer Welten und um die Rettung der eigenen die Phantasie nicht ausgegangen. Diesen Kampf, von dem *Die Veränderung der Sehnsucht* in einer schönen Verbindung von Eigensinn und Einsicht erzählt, lesend zu verfolgen, macht Spaß – und Mut.

st 568 Bernard von Brentano
Berliner Novellen
Mit Illustrationen nach Linolschnitten von
Clément Moreau
96 Seiten
In dieser 1934 erstmals erschienenen Sammlung erzählt
der Autor die Geschichte des sechsjährigen Rudi, eines
angeblichen Attentäters, er erzählt die Geschichte eines
außerordentlichen Mädchens (»Von der Armut der reichen
Leute«), eines Straßenmusikanten (»Der Mann ohne Aus-
weis«). Er sieht Zusammenhänge dort, wo Zeitungen
Berichte bieten. Arbeiter, Arbeiterinnen, Bettler treten auf,
aber auch das Berlin der Bankhäuser und des Geldes.
Klaus Michael Grüber entdeckte die Novelle »Rudi« für
eine Inszenierung durch die *Schaubühne am Halleschen
Ufer* im Berliner *Hotel Esplanade*.

st 593 Zehn Gebote für Erwachsene
Texte für den Umgang mit Kindern
Zusammengestellt und mit einem Nachwort versehen von
Leonhard Froese
224 Seiten
Diese Sammlung geht von zehn Postulaten aus, die der
Herausgeber zum *Internationalen Jahr des Kindes* der
Öffentlichkeit übergeben hat. Sie ordnet diesen Postulaten
bedeutende Aussagen namhafter Autoren und Schriften
der Antike, des Mittelalters und der Neuzeit zu. Dabei
fällt auf, daß Äußerungen weit auseinanderliegender
Zeiten und Räume häufig nicht nur dem Wortsinn, son-
dern gelegentlich auch der Aussageform nach überein-
stimmen.

st 594 Jan Józef Szczepański
Vor dem unbekannten Tribunal
Fünf Essays
Aus dem Polnischen übersetzt und erläutert
von Klaus Staemmler
160 Seiten
»...was ich jetzt schreibe, ist ein weiterer Versuch, das
Schweigen zu durchbrechen, in das uns unsere klein-
gläubige Schwäche versetzt hat.« Dieses Zitat aus Szcze-
pańskis »Brief an Julian Stryjkowski« könnte als Motto
über den fünf Essays stehen, die dieser Band versammelt.

Das Schweigen (aus Feigheit oder Dummheit) läßt Unrecht und Unmenschlichkeit zu. Jede Stimme, die es zu durchbrechen sucht, ist ein nicht zu überhörender Appell und ein Nachweis der Humanität.

st 595 Ödön von Horváth
Geschichten aus dem Wiener Wald
Ein Film von Maximilian Schell
Mit zahlreichen Abbildungen
160 Seiten
Zur Uraufführung des Maximilian-Schell-Films »Geschichten aus dem Wiener Wald« nach dem Volksstück von Ödön von Horváth liegt dieser Band mit dem Drehbuch von Christopher Hampton und Maximilian Schell und zahlreichen Fotos des 1978 in Wien und Umgebung entstandenen Films vor, der den Entstehungsprozeß des Films dokumentiert.

st 598 Hans-Georg Gadamer, Jürgen Habermas
Das Erbe Hegels
Zwei Reden aus Anlaß des Hegel-Preises
104 Seiten
»Niemand sollte für sich in Anspruch nehmen, ausmessen zu wollen, was alles in der großen Erbschaft des Hegelschen Denkens auf uns gekommen ist. Es muß einem jeden genügen, selber Erbe zu sein und sich Rechenschaft zu geben, was er aus dieser Erbschaft angenommen hat.«
Hans-Georg Gadamer

st 628 Georg W. Alsheimer
Eine Reise nach Vietnam
224 Seiten
Alsheimer kehrt in seine »Wahlheimat« zurück. Die Narben des amerikanischen Alptraums sind noch allgegenwärtig. So gerät die Konfrontation des Damals mit dem Heute zunächst zu einem Verfolgungswahn. Erst als er durch das Vertrauen seiner Freunde das Damals mit dem Heute verknüpfen kann, verwandeln sich in dieser Krise seines politischen Credos die gläubigen Visionen in einen gemäßigten, kritischen Optimismus. Den Prozeß, der zu dieser Einsicht führte, protokolliert Alsheimer in diesem Reisetagebuch. Alsheimers *Vietnamesische Lehrjahre* liegen als st 73 vor.